日々のちょっとした工夫で

認知症はグングンよくなる!

薬学博士 生田 哲 監修

画期的! 画像で確認できた
アミロイドβの減少を徹底検証!

平凡社

監修のことば

～認知症の予防・改善は生活全体からのアプローチを～

今、認知症が私たち日本人に襲いかかっております。厚生労働省は２０１９年6月に「認知症施策の総合的な推進について」という報告書を発表しております。それによると、日本の認知症患者は２０１２年の段階で４６２万人でしたが、２０２５年には７００万人を突破し、65歳以上の５人に１人になると推計されています。まさに脅威です。

しかし、認知症に襲われている国は日本に限りません。世界中で、とりわけ高齢化の進む先進国では、治療法はもちろん、認知症という病にどう向き合ったらいいのか答を出せずにいるのです。大手製薬会社が治療薬を開発しようと懸命の努力を続けているにもかかわらず、特効薬はできておりません。

そこで仕方なく、薬以外の方法も模索されるようになったのです。食事や運動、脳トレーニングなど自分で出来る方法が、もしかしたら薬より有効なのではないか。そうした試みが研究機関でも試みられ、治療現場での採用も広がりつつあります。

これは、認知症だけでなく、他の病気の克服にもあてはまるのでしょうが、薬に加えて生活全体の見直しも重要です。食事や運動、睡眠、趣味的な活動などを積極的に取り入れ、総力戦で立ち向かうことが良い結果をもたらすと思います。とりわけ、認知症にとっては運動が有用であることが明らかになりました。

サプリメントもそのひとつだと思います。本書ではアントロキノノール含有エキスという、ユニークなサプリメントが紹介されています。このサプリメントは、FDA（米食品医薬品局）に、近いうちに認知症の新薬として申請する予定の「特殊な物質」を転用したものです。抗認知症サプリは世の中にいくつもありますが、医薬品からの転用は特殊です。アントロキノノール含有エキスの原料はもともと台湾原産の希少な薬用きのこで、漢方薬として長く利用されてきましたが、加えて新薬として認可を受けるためのエビデンス（科学的根拠）も積み上げられてきました。

アントロキノノール含有エキスが抗認知症薬として医療現場に使われるとしても、何年先になるかはわかりません。おそらく研究者たちは、それならサプリメントとして、今現在、認知症で苦しんでいる人に使ってもらいたいと考えたのでしょう。本書の第1章を読むと、すでに多くの人がこのサプリメントでよい結果を出していることがわかります。

認知症は、当事者だけでなく、全ての人にとって脅威です。日本では誰もが80歳、90歳まで生きる時代になりましたから、認知症の脅威は切実です。認知症の改善はもちろんのこと、予防という観点からも、この病気への対策を真剣に考えねばなりません。

食事や運動、睡眠、趣味的な活動など生活全体を見直し、認知症と向き合っていくのがよいでしょう。認知症を改善する特効薬や確実な治療法のない今日、アントロキノノール含有エキスのようなサプリメントが、認知症への不安を解消する助けになっていくことを願います。

２０２０年10月　生田 哲

まえがき

認知症薬を転用したサプリメント

高齢化が進む日本において、認知症はどんな人にも起こりうる病気です。年を取ればし多くの人がそうした状況に直面します。患者数もうなぎ上り。厚生労働省によると2012年の時点で462万人。2025年には700万人を超えると推計されています。2025年はすぐそこです。

ところが認知症には、未だに確かな効き目のある薬がないのが現状です。今日普及している薬は、病気の進行を抑えるのが精いっぱいで、改善、回復と銘打つことができる薬はありません。

数年前から日本の製薬会社がアメリカの企業と共同で、認知症の新薬をアメリカの政府機関FDA（米食品医薬品局、日本の厚労省にあたる）に認可申請をするというニュースがあります。しかし一度目はデータ不足で中止、2020年に2回目の挑戦予定だったのが、研究者が新型コロナ肺炎にかかって頓挫。期待は膨らみますが、どうもぬか喜びに終わりそうな気配がしてきました。

一方、新薬が期待できないことがバネになって、薬に頼らない認知症治療、リハビリテーションで病状を改善するという研究が大変盛んになってきました。特に脳の働きを活発にする運動や脳トレが、日本中で盛んに行われています。

抗認知症サプリメントもさまざまな種類のものが販売されており、テレビ、新聞、雑誌、インターネットなどでそうしたサプリメントの広告を見ない日はありません。脳に良いとされる自然由来の物質、例えばイチョウ葉エキス、DHA、EPA、フェルラ酸、レシチンなど。種類が多すぎて、どうやって選べばいいのかわからないという声は多いものです。

その中で、これは他のものと全く違うと感じさせるのがアントロキノノール含有エキスです。全くの初耳という人も多いかもしれません。これは台湾のみに自生する薬用きのこ・ベニクスノキタケから抽出されたアントロキノノールという希少物質から作られたサプリメントです。

サプリメントではありますが、実は同じアントロキノノールを使った抗認知症薬が２０２０年、アメリカのＦＤＡに認可申請を予定しているのです。前述の日本の製薬会社と同じ状況です。

アントロキノノール含有エキスの特長は、強力な抗酸化作用と抗炎症作用です。その働きをもってアミロイドβなどの認知症の原因物質の神経細胞への付着を防ぎ、脳の神経細胞を守ります。そうすることで間接的に神経細胞の新生を促すという働きもあるようです。

実際にアントロキノノールを使った人の症例を本書第1章で紹介していますが、かなり進行した状態の人にも改善の様子が見られています。詳しい病状やその変化を分析しなければ確実なことは言えませんが、改善例は増えており、期待がふくらみます。原材料や含まれている成分に副作用や危険性がない点も優れているといえるでしょう。

認知症薬として認可申請を行うとすれば、認可されて医薬品化されるのを待った方がいいのかもしれません。しかし医薬品として販売されるのにかかる時間を考えると、それほど待てない人も少なくないでしょう。

認知症は、原因物質が神経細胞に付着しはじめてから発症するまで20年かかると言われています。それならばできるだけ早い段階で、予防的にアントロキノノール含有エキスを使えば、認知症を防げる可能性が高くなります。また現在、軽度認知障害（MCI）という段階にある人は、脳を正常な状態に戻すには、待ったなしの状況です。

それならば、医薬品として販売されるのを待つより、サプリメントとして提供した方がいいのではないか、と誰もが思います。

さて今日、認知症と無縁の現代人はいません。認知症を社会全体で受け入れ、認知症になっても住みやすい社会にしようという時代です。しかし、認知症になってもいいという人はいないでしょう。年を取っても自分らしく、自分を失わずに生きていきたいものです。

それなら、何となく健康的な生活をするのではなく、認知症を知り、予防する方法を学んだ方がいいはずです。そしてアントロキノノール含有エキスのようなサプリメントがあれば、とても心強いのではないでしょうか。

日々のちょっとした工夫で認知症はグングンよくなる！

もくじ

第1章 アントロキノノール含有エキスで認知症の症状が軽減。落ち着いた日々を取り戻した人々

第2章

認知症とは何か

第3章　医学治療はどこまで有効か

認知症の薬物療法

第4章 自分でできる認知症の予防・改善法

第5章 認知症薬まであと一歩のアントロキノノール。アントロキノノール含有エキスとは何か

第6章

アントロキノノール含有エキスと認知症に関するQ＆A

第1章

アントロキノノール含有エキスで認知症の症状が軽減。落ち着いた日々を取り戻した人々

1か月で認知症発症前の状態に戻り、家族も喜んでいる

——Aさん

Aさんがアルツハイマー型認知症と診断されたのは2018年のことです。その頃Aさんはもの忘れがひどく、家族の顔を見てもそれが誰だかわからないような状態でした。またひどく怒りっぽく、ちょっとしたことで周囲に当たり散らすような状態だったので、家庭は滅茶苦茶になってしまいました。

心配したご子息が、知人を通してアントロキノノール含有エキスを入手し、Aさんに飲ませました。1日8粒を1か月続けたところ、Aさんの様子はかなり落ち着き、以前の穏やかだった頃に戻ったといいます。

家族はとても喜んで、またアントロキノノール含有エキスに感謝していますが、まだ何が起きるかわからない、安心はできないとして、必ず誰かがAさんに付き添うようにしているそうです。

しかし、Aさんはそれからも安定しており、自分の身の周りのことはほぼ自分でできる状態を保っています。アントロキノノール含有エキスは継続して飲んでいるとのことです。

Aさんは高齢ですが、退職前には公務員として長年まじめに勤めていました。ご子息は大学で生物学系の学問を修め博士号を取得しています。

Aさんは、アルツハイマー型認知症と診断された後は様々な治療やリハビリ、ケアを受けていらっしゃいました。そこにアントロキノノール含有エキスが加わることで、病状が大きく好転した可能性があります。サプリメントは薬以上に相性がありますが、Aさんには最良の相性だったのかもしれません。

冬の夜、徘徊して倒れ、脳梗塞も発症。3か月後、様々な症状が治まり、お金の管理もできるように

――Bさん　81歳

Bさんがアルツハイマー型認知症と診断されたのは、2008年のことです。当時81歳でした。それに加え、加齢性難聴、つまり年を取って耳も遠くなっていました。

身の周りの世話や経済的な援助は娘さんと息子さんが行い、お手伝いの人も雇うようにしましたが、いつもひとりでふらりと外出し徘徊(はいかい)してしまうため、付き添いの人が必要でした。

ある冬の日の夜、Bさんがまたひとりで外出し、道路で転倒、警察に保護されるということがありました。その時、娘さんの名刺を持っていたので連絡がつきましたが、Bさんは軽い脳梗塞を起こしており、そのまま入院となりました。

その時の体験が原因なのかはわかりませんが、病院でのBさんは情緒不安定で、

ちょっとしたことですぐ怒り出します。家族が見舞いに行っても誰だかわからないようで、周りの人が自分に危害を加えると思い込んでいるようです。

Bさんの病状はアルツハイマー型認知症と脳血管性認知症を合併した状態だと言えるでしょう。全体の症状の違いはあまりありませんが、血管の損傷によって新たな症状が増えてしまうことがあります。

その後Bさんは退院し、自宅での生活に戻りました。

Bさんの病状を心配したご家族は、娘さんのご夫君のつてでアントロキノノール含有エキスを飲むことになりました。1回4粒を1日2回でスタートしました。

それから2か月。Bさんは日に日に病状が回復し、徘徊や被害妄想もなくなっていきました。性格も穏やかになり、以前のBさんに戻ったようだといいます。驚いたことに、以前より耳も聞こえるようになったというのです。

半年後には、Bさんはすっかり体調も良くなり、身の回りのこともこなせるようになってきました。そして自分の預金もきちんと把握し、自ら年金を引き出して買い物もするようになったということです。

Bさんの認知症の症状は、脳梗塞を起こした後で悪化したようです。病院での慣れない生活も負担になったのかもしれません。しかし、ご家族の手厚いケアとアントロキノノール含有エキスにより、かなり改善したと思われます。

動物実験では、アントロキノノールには強力な抗炎症作用が認められています。Bさんの脳梗塞にも、それが有効だったのかもしれません。

残念ながらBさんは、94歳で亡くなりました。死因は肺炎でしたが、それまで認知症の症状はほとんどなく、13年間穏やかに暮らしていたということです。

周囲の反対を押し切って息子（医師）がアントロキノノール含有エキスを選択。自立して食事ができるようになり趣味も楽しめるように

――Cさん　80歳

Cさんは80歳と高齢のため職を退いていますが、長く医師として働いていました。その息子さんも医師をしています。

医師であっても認知症になる人はたくさんいます。Cさんもいつのまにか認知症になり、次第に身の周りのことが自分でできなくなってきました。食事をしても食べ物をボロボロとこぼしてしまい、赤ん坊のように洋服を汚してしまう有様でした。そこで介護の人を雇って暮らしていました。

ご本人も息子さんも医師ですので、認知症の治療～認知症薬を飲む～といったことはしていましたが、症状は全く改善する気配はなかったようです。

そこで息子さんは、お父さんにアントロキノノール含有エキスを飲ませることにし

ました。西洋医学の医師ですので、迷いはあったようで、加えて周囲は大反対だったそうです。それでも実際にアントロキノノール含有エキスを飲み始めると、状況は改善。半年もすると、食事の時にものをこぼすということがなくなりました。それどころか、きれいに食事をするようになったのです。

やがてCさんは趣味の書道を楽しむまでに回復し、時には娘さんとお茶を飲みに行ったりしています。驚くべき回復といっていいでしょう。

アントロキノノール含有エキスを選んだ息子さんは西洋医学の医師ですが、それだけに医学治療の限界もよく知っていらっしゃいます。試行錯誤の結果、選んだアントロキノノール含有エキスが大正解だったという例です。

家族と意思の疎通ができなかったDさん。今はひとりで買い物に行き、会話もはずむように

——Dさん

認知症のDさんは、自宅で介護サービスを受けながら暮らしていました。ひとりで外出すると迷子になって帰れなくなるし、家族が止めてもわからない様子でした。周りが困っても意思の疎通ができない状態でした。

ある時、家族がアントロキノノール含有エキスを飲ませるようになると、みるみるDさんの様子が変わってきました。どこを見ているのかわからないような目に光がもどり、きちんと人と会話をするようになったのです。そのうちひとりでスーパーに行って買い物をし、ひとりで帰ってくるようになりました。

Dさんはアントロキノノール含有エキスを1日12粒飲んでいます。2か月で家族と会話が弾むようになり、3か月後には頭がはっきりして、記憶も確かな様子です。

アントロキノノール含有エキスは薬ではないので、どのくらい飲めば適量なのかは、

実際に飲んでみて、様子を見ながら決めるのがよいようです。

4粒飲んで好転し、騒ぎ立てることもなくなった。血圧も下がり体調も安定

――Eさん 96歳

96歳になるEさんは認知症で、もう20年以上アルツハイマー型認知症の薬を飲んでいます。他にも高血圧や腎臓病の持病があり、人工透析をしています。たくさんの薬を飲み、通院もしていましたが病状は芳しくありませんでした。身の回りのことはひとりでできないため、介護の人に頼りきりでした。

体調がよくないことや幻覚が見えることから、Eさんはひとりで騒ぎ立てることがあり、家族も困っていたようです。

そんなEさんを何とかしたいと、息子さんがアントロキノノール含有エキスを入手し、飲ませてみました。はじめは1日2粒で始めましたが、様子を見て4粒飲む時もあります。

すると状況は好転し、騒ぎ立てることがなくなりました。興奮状態で血圧が上がっ

ていたのか、しばらくすると血圧も下がり、体調が落ち着いてきたとのことです。驚いたことに人工透析の回数も減ったといいます。

アントロキノノール含有エキスは、認知症以外に肝臓病やがん、腎臓病、動脈硬化など様々な疾病に有効であることがわかっています。Eさんは認知症のために飲み始めましたが、結果として血圧が下がり、腎臓病も改善したと考えられます。

家族の顔がわからなくなる、世話は娘まかせだった女性。今は病状が安定。頭の回転が速くなった

――Fさん 85歳

認知症でアルツハイマー型認知症の薬を10年以上飲んでいたFさん。最近、だんだん状態が悪くなり、家族の顔がわからなくなることもありました。身の回りの世話は娘さんがやっていました。

少しでもよくなればと、アントロキノノール含有エキスを飲ませてみたところ、病状が安定し、現在は落ち着いた状態を保っています。体の動きもよくなり、頭の回転がよくなったようだと家族は感じています。

はじめはアントロキノノール含有エキスを1日14～18粒飲んでいましたが、病状が改善してから4粒に減らし、そのまま2年たちましたが、今も落ち着いています。

パーキンソン病で、よく転んでいた女性。アントロキノノール含有エキス3か月服用で見違えるほど元気に

――Gさん　80歳

パーキンソン病は、認知症と同じく脳の神経細胞が変性するタイプの病気で、認知症を合併することも多いようです。

この病気のせいで歩く時はいつもフラフラし、転ぶことも多かった女性Gさん（80歳）。２０１９年秋からアントロキノノール含有エキスを毎日8粒服用したところ、1か月目は明らかな効果はみられませんでしたが、2か月目から長い距離を歩けるようになり、転ぶことがなくなったそうです。

こうして次第に元気になり、体も動くようになったGさん。半年後には、目を見張るほどよくなったそうです。

第2章

認知症とは何か

患者数400万人以上、団塊の世代の5人に1人が認知症になる

厚生労働省によると、2012年の日本の認知症患者は約462万人。高齢者(65歳以上)の約15%に上ります。7人に1人が認知症と推計されています(2015年発表)。

その上、団塊の世代といわれる年齢層が75歳以上となる2025年には、その患者数は700万人前後になると推計され、高齢者の約5人に1人を占めるという見込みです。

2025年はもうすぐです。日本の人口構成の中で最もボリュームがある団塊の世代が認知症世代というのは恐ろしい事態ではないでしょうか。

また認知症とまでは言えないけれど、認知に幾分か問題がある状態として「軽度認知障害(MCI＝Mild Cognitive Impairment)」があります。認知症の数歩手前。放置すれば認知症に移行する可能性が高い状態です。これに該当する人が約400万人と

考えられています。この人たちを入れると、既に65歳以上の高齢者の４人に１人が、認知症かその予備軍ということになります。

なぜ〝推計〟なのかというと、認知症を患う人の実数はなかなか把握しにくいからです。医療機関を受診し、認知症と診断された人は実数としてカウントされます。しかし、医療機関を受診せず、おかしいな、ちょっともの忘れが激しくなったかなと思いながら暮らしている人の中にも、認知症の人はいると考えられます。そうした人たちを含めた数字なので推計になっているわけです。

今日となっては、認知症は珍しくも何ともない病気です。多くの人が、身内に誰かしらこの病気の人がいるのではないでしょうか。

高齢化が最大の原因。ただし正常な人の方が多い

認知症の最大の原因は加齢です。年を取って脳が老化し、様々な不具合が起きてく

るのが認知症です。年を取れば取るほど発症しやすくなるので、65歳〜70歳で認知症になる人は15％でも、80歳を過ぎると40％に跳ね上がります。我々日本人が平均寿命に達する頃には、おおざっぱに言って2人に1人がそうした状態になると言っていいでしょう。「がん」は2人に1人がなるという事実を多くの人は知っていますが、認知症も実は同じ確率で発症する病気であることに、今驚かれている読者の方も多いのではないでしょうか。

世界一の長寿国である日本は、同時に世界一の認知症大国になるという恐るべき時代がすぐそこに来ています。

ただ患者だけに焦点を当てているからそうなのであって、違う角度から見ることもできます。裏を返せば、年を取っても認知症にならない人もたくさんいます。40％が認知症であるとしたら、60％はそうではありません。60％ですから過半数です。過半数は認知症ではないのです。ならばそちらに注目し、認知症にならないことを目指せばよいのではないでしょうか。

世の中には80歳を過ぎても、現役でバリバリ仕事をしている人もいます。そうした人と認知症になる人は、いったいどこが違うのでしょう。その違いに目を向けて、参考にしていくことで、認知症を防げる可能性が出てくるはずです。

認知症のタイプを知る

認知症にはいくつかのタイプがあります。アルツハイマー型認知症がよく知られていますが、異なるタイプもあります。中には正常圧水頭症などのように治る認知症もあります。どういうタイプなのかによって症状が違い、治療法、対処法にも違いが出てきます。

まず患者数が最も多いのがアルツハイマー型認知症。認知症と言えばアルツハイマーというくらい多く、日本の認知症患者の半数〜6割がこのタイプとされています。

次に多いのが脳血管性認知症。認知症全体の約2割を占めるとされ、脳梗塞や脳出血などが原因で脳に損傷ができて発症します。

図表：認知症のタイプ別の割合（厚労省のホームページから）

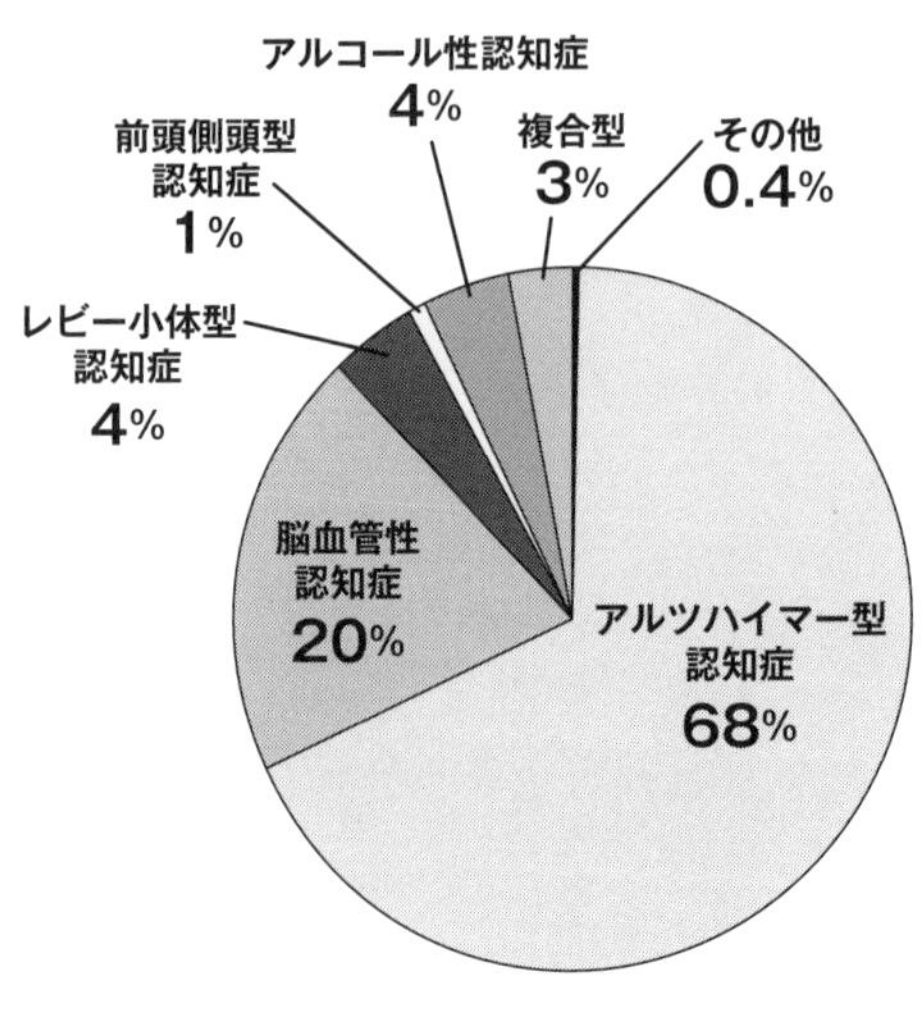

脳血管性認知症とほぼ同じくらいの割合で発症するとされるのがレビー小体型認知症。特徴は幻視で、実際にはないものが見えるという症状があります。

以上の3つ、アルツハイマー型認知症、脳血管性認知症、レビー小体型認知症が3大認知症と言われ、認知症全体の多くを占めていますが、正確な比率ははっきりしていません。

以上の3つ以外にも前頭側頭型認知症、アルコール性認知症、正常圧水頭症といった認知症があります。

また中にはアルツハイマー型認知症と血管性認知症が合併している混合型認知症も

あります。アメリカの調査では、アルツハイマー型認知症と診断された患者のうち、3割が脳血管性認知症を合併していました。日本でも、認知症の中で混合型とみなされる患者は全体の2割と推計している医療機関もあります。

認知症のタイプによっては使う薬が違い、治療法が異なる場合があります。そうしたことを勘案すると、認知症にもセカンドオピニオンがあった方がいいかもしれません。

アルツハイマー型認知症とはどんな病気か

認知症の半数～7割、過半数を占めるのがアルツハイマー型認知症です。

他の認知症とも共通しますが、アルツハイマー型認知症の大きな特徴であり、病気のはじまりとも言われているのがもの忘れ（記憶障害）です。

もの忘れはどんな人にも起こります。中高年と言われる年代になれば、誰しも身に覚えがあります。そして年を取ると、だんだんとひどくなります。特に芸能人、有名人の名前や固有名詞が出てこなくなり、「ほら、あの人、あれに出てた……」とか「え～と、ナントカいう食べ物」などという会話になります。半分は笑い話になりますが、当人は内心焦っていて「認知症のはじまりなんじゃないか」と心配していたりします。

しかし、このレベルのもの忘れは、まず心配する必要はありません。大抵は、忘れても特に支障のないことだから忘れているのであり、ちょっとしたヒントで思い出せます。こうしたことは、いわゆる年相応のもの忘れです。

アルツハイマー型認知症のもの忘れはこれとは全く違い、経験したことを丸ごとスッポリ忘れてしまいます。例えば、食事をしたことを全く覚えていない状態です。そのため、朝食を食べた後ですぐ「朝ごはんはまだ?」と聞いて家族を困らせたり、「今、食べましたよ」と言われて「食べていない」と怒ったりします。

遊びに来た孫と一緒に遊んだこと、古い友人が訪ねてきて思い出話に花が咲いたこと、買い物に行って新しいワンピースを買ったこと。こうした印象的な出来事も、すっぽり丸ごと忘れてしまいます。

記憶障害（初期）から始まり自立した生活が困難に（中期）

アルツハイマー型認知症はどのように進行するのでしょうか。ここではごく初期に現れる症状から、進行するとどういった症状が現れるかをご紹介してみます。

前述のように、この病気の特徴は第一にもの忘れです。経験したことを丸ごと忘れると述べましたが、言い方を変えると「新しく経験したことを覚えられない」のです。

今、自分の話したことや、したこと（短期記憶）も忘れてしまうので、同じ話を何度も繰り返したり、たった今自分が置いたタオルを見て、「誰が置いたの？」と不思議がったりします。

今日が何年何月何日かといった日付や、朝なのか夕方なのかといった時刻、自分がいる場所も忘れてしまいます（見当識障害）。

この病気が進行すると、新しい経験だけでなく、少し昔の記憶もだんだん薄れていきます。そのため服を着る順番や着方がわからなくなったり、お金の管理ができなくなったり、入浴やトイレのしかたなどもわからない（失行）など、自立した生活が難し

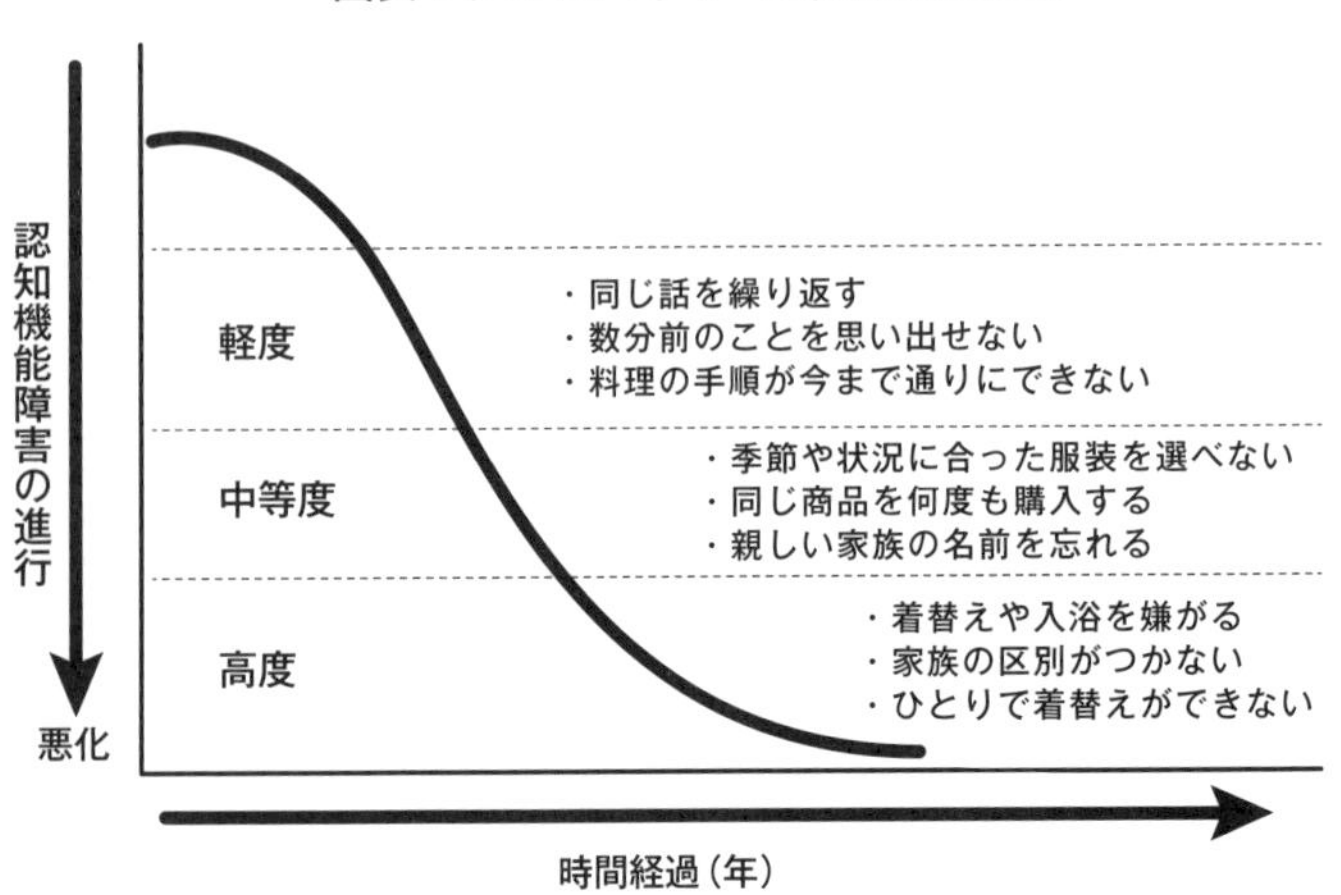

くなってきます。またひとりで外出すると道に迷ったり、家がわからなくなって徘徊したりします。

こうした状態になると、やはり介助なしでは生活ができなくなるので、家族や周囲の人、介護サービスの助けが必要になります。

重度になると寝たきり、意思の疎通が困難に

アルツハイマー型認知症が進行すると、次第に家族や親しい人が誰なのかわから

なくなり、自分の子どもや配偶者に「あなた、誰?」と聞くようになるなど(失認)、短期記憶だけでなく、昔のことも含めて様々な記憶が薄れていきます。ものの名前やその使い方や目的などもわからなくなり、食べ物を見てそれが食べるものだとわからなかったり、食べ物でないものを口にしたり(異食)、会話をしてもかみ合わなくなります。

さらに進行すると、聞いて理解する、話す、書く、読むといった言語機能が失われ(失語)、食事や排泄(はいせつ)、入浴などもひとりではできなくなります。生活のほとんどに介助が必要になります。進行すると、体の動作にも支障が起き、寝たきりになる人もいます。

ただ、こうした病気の進行に伴う症状の変化は、大変個人差が大きいものです。ひとりひとり進行具合は異なり、症状にはかなりバラつきがあります。全ての認知症の患者さんが、寝たきりになるわけではなく、話ができなくなるわけではありません。自立した生活が困難になっても、家族や周囲の人との会話がずっとできる人もいます。

ほぼ自立した生活ができ、身なりも自分できちんと整えられるのに、家族の名前や関係(子どもと兄弟の区別がつかない)がわからなくなる人もいれば、料理や掃除など家事がきちんとできるのに、自分がどこにいるのかわからないという人もいます。

どういった経過をたどるのかは、患者さんによってひとりひとり全く違うと言っていいでしょう。

最も怖いのは周辺症状

ここまでアルツハイマー型認知症の進行と症状についてご説明しましたが、アルツハイマー型認知症以外の認知症も多くの症状が共通しています。そこでここからは認知症全般の症状について述べ、他の認知症の特徴的な症状は後述します。

さて、認知症の症状として問題となるのは、もの忘れそのものというより、もの忘れによって本人がどんな行動をし、どんなトラブルが起きるかです。(専門的には、もの忘れを中核症状、それによって起きる問題を周辺症状と言います。)

認知症の中核症状と周辺症状

「嫁が財布を盗った！」もの盗られ妄想はなぜ起きる

認知症の症状として被害妄想があります。患者さんは「大切なものを盗られた」「悪口を言われる」と周囲の人に真剣に訴えるので、認知症について知らない人は本気にしてしまうことがあります。

患者さんは、自分の大事なものを盗った犯人、悪口を言う犯人は嫁などの家族や身内の介護者だ、と訴えることが多いものです。犯人扱いされた方は、ふだん献身的に世話をしているのに泥棒扱い、悪者扱いされ、さらに親戚に疑われるのですから、たまったものではありません。

なぜこんなことが起きるのでしょう。

専門家はこうした被害妄想の症状を、認知症という病気からくる不安や不満によるものと説明しています。

自立した大人であるはずの自分が、着替えも満足にできず、人の世話にならないとトイレもちゃんと行けない。そうした状態で傷ついた自尊心と悲しみを抱えて、ずっと苦しんでいる認知症の人もいるのです。そうした苦しみを何とかしたいために、世話をしてくれる身近な人に責任をなすりつけて、「自分は悪くない」と訴えているというのです。

幼い子どもが大事なおもちゃを落として壊してしまった時に、「お姉ちゃんがやった」と失敗を他者になすりつけて泣いているようなものかもしれません。

こうした場合、介護者は、患者の妄想を頭から否定してはいけないといいます。なくなった財布を一緒にさがし、みつかったら患者が自分でみつけたようにちょっと仕組んで、一緒に喜ぶなどの解決へとつなげるのがよいとされます。患者さんの非難に対して「私じゃない！」と反発すると、患者さんはいっそう頑(かたく)なになってしまいます。反発するのではなく、周囲や専門家などに事情を理解してもらい、ひとりで抱え込まないことが重要です。

徘徊や行方不明、どこへ行こうとしているのか

２０１９年に警察庁が発表したデータでは、全国の警察に届出があった徘徊からの行方不明者数は年間約１万７千人。さまよっていて事故にあったり、自転車や自動車を運転して他人を巻き込んだりすることもあります。無事であっても、本人が自分の名前や住所を伝えることができないと、遠い土地で身元不明人になってしまうこともあります。

行く先や道がわからないのに、どうして出かけてしまうのか不思議ですが、本人はごく普通に外出したにすぎません。買い物に行きたい、友達に会いたい、田舎に帰りたいなど、それぞれ目的があってふらりと外出し、迷ってしまうのです。

グループホーム（認知症の高齢者向け老人ホーム）で暮らしている人は、夕方になるとそわそわして「家に帰る」と言い出すことがよくあります。「ここが家です」と言っても納得しません。どうしても帰ると言って聞かないので、職員がとても苦労してなだめていることがあります。

やっぱり自分の家に帰りたいんだろうと可哀そうにもなりますが、本人は自分が子どもの頃住んでいた家に帰るつもりだったり、何十年も前に住んでいた家に帰ろうとしていたりするので、単純なホームシックや帰宅願望ではないことが多いものです。施設の場合は様々な工夫によって、さまよい歩くような徘徊は防がれていますが、自宅の場合は、制止すると怒ってしまったりして、なかなか止めるのが難しいものです。家族が24時間見守りをするような状況は、介護者も本人も大きなストレスになります。

徘徊を防ぐために、介護サービスを利用して付き添いをお願いし、運動不足解消を兼ねて散歩に出かけてもらうなどの工夫をすると、落ち着くこともあります。

高速道路逆走の16%は認知症?

認知症は時として非常に危険な事態をまねきます。自宅周辺で徘徊して迷子になるのもこわいですが、認知症の患者が自分でハンドルを握るドライバーの場合、事故を起こしてしまうと、本人の被害だけではすみません。最近、高齢者の自動車事故が目立ちますが、事故を起こした人の中に認知症の患者さんが少なくないことは、多くの人が何となくわかっています。

高速道路での事故は、本人を含めて命に関わります。特に恐ろしいのは逆走です。全国の各高速道路株式会社が調査・分析したデータによると、高速道路の逆走の約7割が65歳以上の高齢者によるものであり、認知症の疑いがある人が全体の1割と公表されています。２０１１年～２０１５年の高速道路会社の管轄内における交通事故、または車両確保に至った逆走９１６件を分析した結果です。

国土交通省のデータではもっと数字は大きくなり、高速道路を逆走したドライバーのうち、「高速道路の走行、及び逆走の認識がなく認知症の疑い等がある例」は16％です。

認知能力が大きく低下すると、高速道路と一般道の区別がつかない、左側通行がわからない、標識の意味がわからない、アクセルとブレーキの区別がつかないといったことにつながります。どれかひとつ当てはまるだけでも、到底運転できる状態ではありません。

最近は、高齢者で認知症が疑われた場合は、免許返還が求められます。75歳以上の高齢者には、免許証更新手続き時に認知機能テストが課せられ、「問題あり」となった場合は、運転できなくなることになりました。

しかし、その求めに納得しない患者もいます。もとより認知症という病識（病気であるという自己認識）がない人もいます。

眠れない、幻覚、暴力・暴言など様々な問題行動

認知症になると、そうでなかった時に比べて、仕事や家事、運動や趣味など、自由に活動することが難しくなります。体を動かす機会も減り、日中の活動量が減ることもあって、健康な時のように夜眠れなくなる人がいます。睡眠を司るホルモンや自律神

経の働きも、うまくいかなくなるようです。夜眠れないと昼寝をするようになり、昼夜逆転してしまうことがあります。

幻聴や幻視といった幻覚を訴える人もいます。「窓の外に子どもがいる」「母親の声がずっと聞こえる」といった訴えを繰り返し、周囲を驚かせることがあります。認知症の中でもレビー小体型認知症によく起きる症状です。

自立した排泄が難しくなり、トイレの場所がわからず、あたりかまわず用を足してしまう。失禁しても気づかない。リハビリパンツ（大人用おむつ）が汚れても気づかない場合もあります。

他にも様々な問題行動がありますが、中でも介護者や周囲の人を困らせるのは暴力や暴言です。何かをきっかけにして怒り出し、罵詈雑言（ばりぞうごん）を吐いたり、ものを壊したり、周囲の人につかみかかったりする人もいます。

こうした行動は、できるだけ原因をみつけて（本人が何に困っているか、何にストレスを感じているか）、それを解決することで解消するケースもありますが、本人の脳内だけで起こっていることは、他者にはどうすることもできないこともあります。

原因がわかりやすいが症状は不安定な脳血管性認知症

アルツハイマー型認知症に次いで多いのは脳血管性認知症です。

この認知症は、その名のとおり脳の血管の病気が原因です。血管が詰まる動脈硬化、血管が切れる脳出血、くも膜下出血といった血管の損傷で脳神経に酸素や栄養が届かなくなり、次第に脳神経が壊死（えし）してゆくことで発症します。

脳出血やくも膜下出血などはある日突然発症するので、これに伴って後遺症として認知症が表れます。しかし、こうした突発的なケースはあまり多くありません。多くの場合、小さな血管の詰まりや出血がきっかけで発症し、その繰り返しで段階的に悪化していくケースが多いようです。

この認知症の症状は、脳のどの部分の血管に障害が起きているかによって違ってきます。

発症して間もない時期からしゃべれなくなったり（失語）、歩けない、失禁するなどの症状が出る一方で判断力はしっかりしていたり、意思の疎通がきちんとできるなど、認知機能のアンバランスがみられます。さっきまでできていたことができなくなったり、しばらくすると回復したりするなど、「まだら症状」が大きな特徴です。

これまでできていたことが突然できなくなると、周囲の人の中には「甘えているんだろう」とか「なぜ、できないの？」などと声掛けをする人がいますが、こうした何気ない声かけは、本人の自尊心を傷つけてしまうので逆効果です。

ただ、発症や悪化の原因が血管にあるのですから、動脈硬化を防いだり改善したりすることは大いに意味があります。発症後もさらなる血管障害を防ぐことで悪化を食い止めることができる可能性があります。

運動、食生活の改善、適度なリハビリ、そして第1章でご紹介した人たちが使っていたアントロキノノール含有エキスなどのサプリメントを使うことも有効です。

幻視・幻聴が特徴のレビー小体型認知症

近年、アルツハイマー型認知症とは異なるタイプの認知症・レビー小体型認知症が、テレビで紹介されることが増えています。アルツハイマー型認知症と診断されて治療や介護をしてきたものの、どうも症状が違うという訴えが家族や介護者から上がることが少なくないためのようです。

後述しますが、アルツハイマー型認知症では脳神経にアミロイドβタンパクやタウタンパクが付着しますが、レビー小体型認知症の場合は、αシヌクレインというタンパクが集まって神経細胞の中でレビー小体という固まりを形成します。αシヌクレインも、分解しにくいタンパク質の老廃物であり、これが神経の働きを阻害して認知機能を低下させていきます。

特徴的な症状として、筋肉がこわばり手が震える、小刻みに歩く、気絶、失神などの身体症状があります。周囲の安全等を考えることなく行動する場合があるので、放置すると大変危険です。

また、ありもしないものが見える「幻覚（幻聴、幻視）」や「妄想」も、この病気ではよくあることです。例えば突然、「（死んだはずの）おばあちゃんがそこに座って笑ってる」などと言ったりするので周囲は驚きますが、心霊現象ではありません。

そうした場合は、「いるわけない」等と頭ごなしに否定したりするのはよくありません。患者さん本人の状態にもよりますが、この人にはそう見えるんだ、と理解してあげる方がいいようです。

人格が変わる。社会性が壊れる前頭側頭型認知症

病名のとおり前頭葉と側頭葉の脳の神経に萎縮が起こる認知症です。前頭葉は額のすぐ上あたりにあり、意志、思考、判断などの理性、感情や行動のコントロールなどを司る脳です。側頭葉は、言語や聴覚、記憶、知識などを司る脳です。こうした人間的な行動を司る脳が壊れていくので、理性的な思考ができなくなり、人が見ていてもかまわず万引きをしたり、腹が立ったからと突然殴りかかったりと、自分勝手な行動をすることがあります。病気であるという認識もなく、悪気も罪悪感もありません。この病気は、発症が50代〜60代と若く、体力もあるので、周囲の人はかなり困惑し、介護には大きな苦労が伴います。

現在のところ病気の原因も不明で、有効な治療薬もほとんどないのが現状です。レビー小体型認知症と前頭側頭型認知症は合併することもあるようです。

2015年、国の難病に指定されたので、治療費は公費で賄われます（他の認知症は難病指定ではありません）。

働き盛りでの発症・若年性認知症

一般に、認知症といえば、年を取るとかかりやすくなる病気、高齢者の病気だと考えられています。しかし中には若くしてこの病気になってしまう人もいます。年齢的には64歳以下に発症した場合、若年性認知症と呼んでいます。

医学的には、若年性認知症という独立した病気があるわけではありません。単に年齢による区分であり、病気の中身としては前述のアルツハイマー型認知症、脳血管性認知症、レビー小体型認知症、前頭側頭型認知症などと同じです。なぜ若くして認知症になってしまうのかについては、よくわかっていません。

日本での患者数は約4万人。発症年齢の平均は51歳です。まさに働き盛りを襲う認知症で、仕事や家庭における様々な能力を失っていくため、高齢でこの病気になった人とは違った深刻な問題と遭遇します。また、若年性認知症は進行が速く、病気がわかった時の本人のショックははかりしれません。

早期発見・早期治療が重要

若年性認知症の場合、ほとんどの人は、まさかそんな年で認知症になるとは思っていないものです。もの忘れが増えたとしても、ストレスや過労からくるうつ病や更年期障害などと考える人が多いようです。

医療機関で症状を訴えても、やはりうつ病、更年期障害と判断されて、抗うつ剤や精神安定剤、眠れなければ睡眠導入剤などが処方されます。こうした治療では何も解決せずに症状が悪化し、長い間本当の病気に気づかなかったという人が多いようです。

どんな病気でも早期発見・早期治療が大切ですが、特に若年性認知症の場合では、高齢での発症の場合よりも、早期の発見が重要です。早期治療で能力の維持をはかることも大切ですが、早期診断ができれば、社会福祉制度が早く利用できるからです。

早く診断を受ければ、早い時期から傷病手当金の利用、自立支援法による医療費の公費負担、介護保険の利用、精神保健福祉手帳の取得などが可能になり、訓練を含めた医療費がかなり軽減されます。また仕事を辞めた場合は、障害年金の受給も可能になり、ある程度の収入が補償されます。

非常に稀ですが、家族性(遺伝性が強い)の若年性アルツハイマー型認知症もあります。そうした人は変異した遺伝子を持っており、それが子孫に受け継がれます。不安がある人は、人間ドックの際に脳ドックも受けて、脳の状態を把握しておきましょう。

認知症は遺伝病ではありませんが、自分の家系に認知症が多い人は、体質的に人よりかかりやすいと考えて用心するにこしたことはありません。

次章に、自分でもできる認知症検査(改訂　長谷川式簡易知能評価スケール、ミニメンタルステート検査)を掲載しているので、心配な方はぜひやってみてください。もし結果が芳しくなければ、迷わず専門外来を受診しましょう。

認知症を予防・改善する方法

繰り返すと、認知症は遺伝病ではありません。前述のように、ごく稀に遺伝性の認知症もありますが、ほとんどの場合、第一に加齢、つまり年を取って脳が老化し、あちこちに不具合が起きてくること。加えて、認知症になりやすい生活習慣の積み重ねによって発症する病気です。日本のような高齢化社会では、ある年齢、例えば80歳を過ぎたら、誰がかかってもおかしくありません。

ただし、前にも述べた通り、認知症にならない人もたくさんいます。そうした人たちは、認知症になる人とは違った生活習慣を積み重ねてきた人と言えるのではないでしょうか。そうした人たちは、どんな生活をしてきたのか。食事や仕事、運動、社会生活などにたくさんのヒントがあるはずです。

そうした生活習慣を取り入れることで、認知症にならずに年を取ることができる可能性が高くなると考えられます。

将来にそなえて予防できればベスト

本書第1章では、認知症の患者さんたちが試してよい結果を得られたアントロキノノール含有エキスというサプリメントを紹介しています。

認知症、特に患者数の最も多いアルツハイマー型認知症は、症状が表れる20年も前から、脳神経細胞に原因物質がたまり始めているといいます。その時期から予防に努め、アントロキノノール含有エキスのような効果的なサプリメントを使っていれば、認知症はかなりの確率で予防できると思います。

第5章で詳しく紹介しますが、アントロキノノール含有エキスは、FDA（米食品医薬品局、日本の厚労省にあたる）に抗認知症薬としての申請を行う予定です。既に科学的な検証が重ねられているので、有用性は高いのではないでしょうか。

特に身内に認知症になった人が多い場合、また認知症になりやすい生活習慣を長く続けている人（極度の睡眠不足、飲酒、喫煙など活性酸素の発生しやすい生活）などは、予防対策をとった方がいいでしょう。

もちろん食事、運動、生活習慣、心身両面からのストレスコントロールなどが重要ですが、仕事や生活環境によっては完璧な予防対策は無理という人が多いと思います。そういった人たちには、アントロキノノール含有エキスのようなサプリメントは役に立つと思います。

今日、認知症予防を謳ったサプリメントはたくさんあります。百花繚乱といってもいい状況です。その中で自分に合った、自分の状態に最もふさわしいサプリメントを活用することが、認知症の予防の大きな助けになると思います。

認知症の脳はどうなっているか

認知症になった人の脳はどうなっているのでしょうか。ここで代表的な認知症と脳について簡単にご説明しておきましょう。

まず認知症は、脳のどの部分が冒されるかによってタイプが違ってきます。

最も多いアルツハイマー型認知症は、脳の中心、芯といっていいあたりにある海馬に始まります。海馬は短期記憶、たった今体験したことを記憶しておく組織です。この海馬の神経細胞が死んで脱落し、萎縮が始まり、その萎縮が大脳全体に広がっていきます。これにより脳の体積もだんだん小さくなっていきます。

一方、レビー小体型認知症の場合は、主に後頭部を中心に、「レビー小体」と呼ばれるタンパク質の固まり（老廃物）があちこちにできていきます。

脳の部分がそのまま病名になっているのが前頭側頭型認知症です。額の周辺（前頭葉）と耳の周り（側頭葉）の神経細胞が壊れて萎縮していきます。

脳血管性認知症は、脳のどの血管で動脈硬化や出血が起きるかによって症状にも違いがありますが、よく見られるのは前頭葉の損傷があって発症するケースです。どこの脳細胞が損傷を受けているかによって、認知症状だけでなく、運動麻痺（まひ）、知覚麻痺、言語障害など様々な症状が起きます。

図表：さまざまな認知症とその特徴

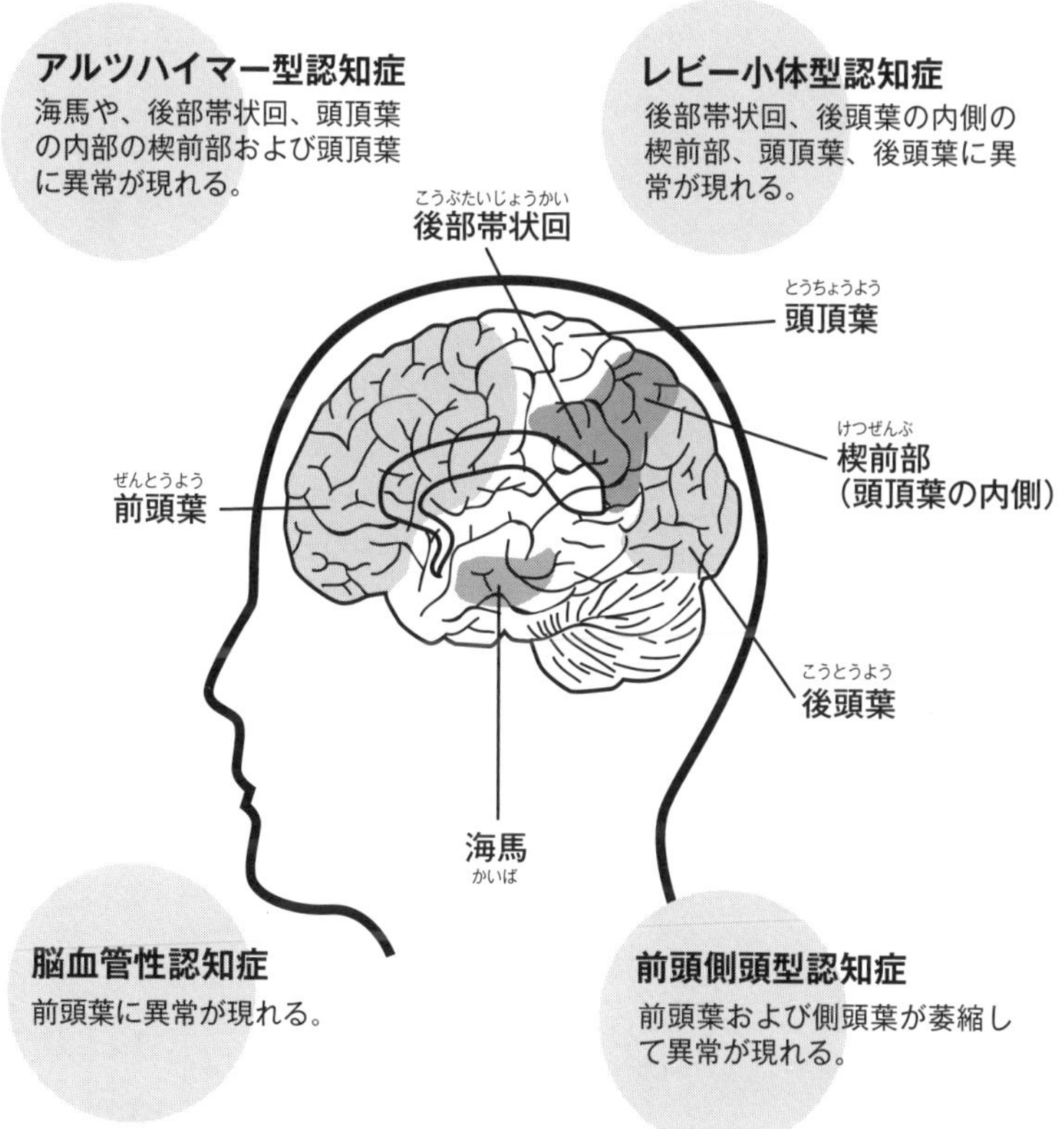
アルツハイマー型認知症
海馬や、後部帯状回、頭頂葉の内部の楔前部および頭頂葉に異常が現れる。
レビー小体型認知症
後部帯状回、後頭葉の内側の楔前部、頭頂葉、後頭葉に異常が現れる。
こうぶたいじょうかい
後部帯状回
とうちょうよう
頭頂葉
けつぜんぶ
楔前部
（頭頂葉の内側）
ぜんとうよう
前頭葉
こうとうよう
後頭葉
海馬
かいば
脳血管性認知症
前頭葉に異常が現れる。
前頭側頭型認知症
前頭葉および側頭葉が萎縮して異常が現れる。

治る認知症を見逃さない

認知症は治らない。そう思っている人がほとんどです。ところが中には治療可能で、治ってしまうものもあります。

代表的なのが突発性正常圧水頭症があります。この病気の症状には、ひどいもの忘れや頻尿、失禁、おぼつかない歩き方等があり、高齢者の場合は確かに認知症だと思われてしまうでしょう。そのため、きちんとした検査も受けずに認知症と誤診され、悪化・進行させているケースが少なからずあるようです。

これは脳神経科などの専門医にはおなじみの病気ですが、それ以外の科の医師はあまり詳しくないため、「もう年だし、症状からして認知症でしょう」といった診断が行われているからとされます。

日本には、高齢者の1～2％にあたる30万人以上の患者がいると推計されています。それが治らないものとして（他の認知症の治療はしていても）放置されているとしたら、あまりにも残念です。

突発性正常圧水頭症は、脳の脊髄液が頭がい骨の内部に異常にたまり、脳を圧迫する病気です。

病気の名前はちょっと怖いのですが、この病気は手術で脳にたまった脊髄液を適切な量だけ抜いてしまえば症状が改善します。それほど危険な手術でもなく、8割から9割の患者さんはもの忘れも歩行障害も治るとされています。

現在、何らかの認知症と診断されている人で、症状の中に「小刻みなすり足」などがあればセカンドオピニオンを受けることをお勧めします。

同様の病気に慢性硬膜下血腫があります。こちらは外傷が原因で、脳を包む硬膜と脳の表面との間に血液が固まって脳を圧迫する病気です。こちらも病名は怖いですが、原因は軽い打撲や転倒などであることが多く、受診もしていないケースが多いようです。やはり手術で治る可能性が高いので、認知症かもしれないと悲観するのではなく、きちんと診察を受けましょう。

診断はその後の治療と経過、その人の人生と生活を大きく左右します。認知症かなと思ったら、専門医のいる医療機関で検査を受け、正確な診断を受けましょう。

ここでくい止めれば引き返せる軽度認知障害（ＭＣＩ）

軽度認知障害（Mild Cognitive Impairment）、略してＭＣＩをご存じでしょうか。これは認知機能に支障があるものの軽微である状態、認知症と正常とのグレーゾーン。認知症予備軍という状態です。

例えばもの忘れがひどい、大事な約束を忘れるといった症状があるけれども、日常生活において自立した生活はきちんとできている。それでも家族など周囲の人が「認知症ではないか」と感じるような違和感があります。

個人差はあるのですが、いつも几帳面（きちょうめん）で忘れ物などしたことのない人が、仕事の打ち合わせを忘れていた、重要書類をどこかに置き忘れてきた、といったことが続いているとかなり心配です。やはり医療機関を受診した方がよいでしょう。

もしＭＣＩ（軽度認知障害）ならば、放置しておくと5年以内に半数が認知症に移行すると言われています。

しかし、ここで悲観することはありません。認知症になる一歩手前で発症を食い止めれば、また認知症の予防対策をとり続ければ、年を取っても健康な脳で生きていくことができるのです。

軽度認知障害（MCI）は半数が健康な脳を取り戻せる

このように述べると、多くの人は、認知症になりかけているのに悲観しない人などいるものか、と思われるでしょう。40代、50代で軽度認知障害（MCI）と診断されたら、多くの人はひどく落ち込んでしまうかもしれません。

しかし繰り返しますが、軽度認知障害（MCI）なら引き返せる、認知症にならずに生きていける、と言っているのです。

この段階ならできることがたくさんあります。脳を活性化し、若返らせ、生き生きした自分を取り戻すことができるのです。食事、運動、生活習慣、脳トレ、そして脳をよみがえらせるサプリメントなどの栄養成分。こうした創意工夫を総動員すれば、脳

図表：認知症はゆっくり進行する

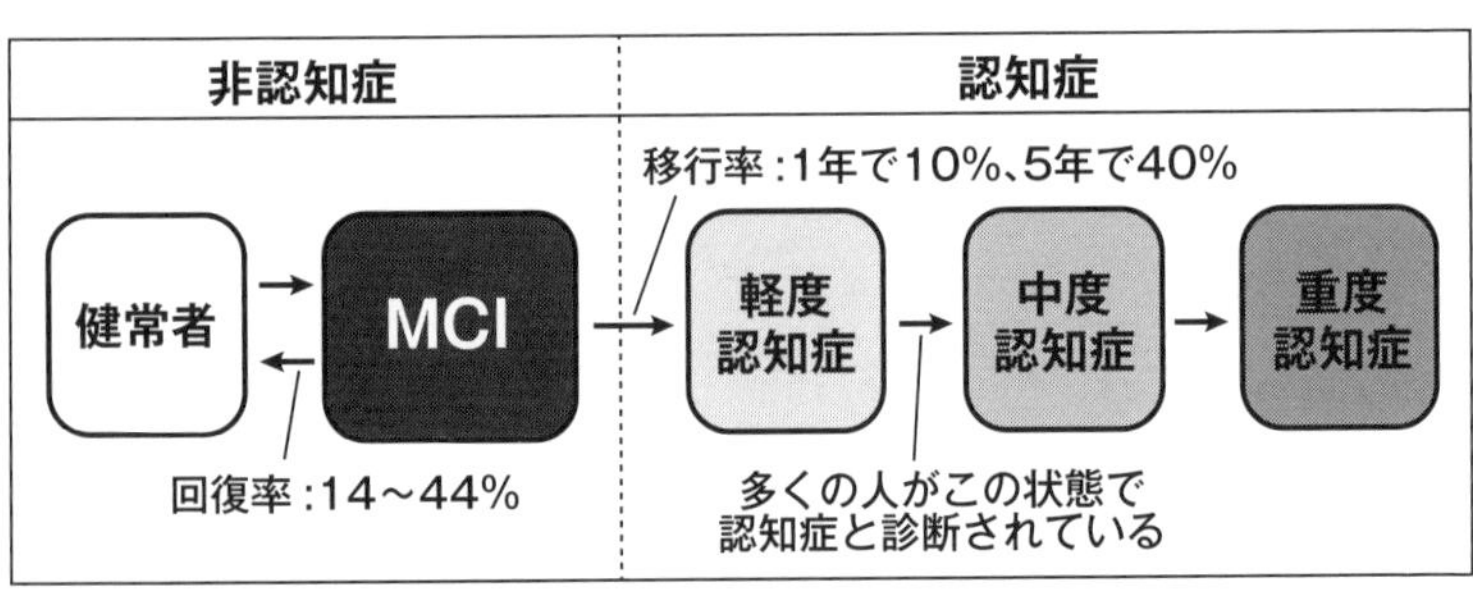

は再び生き生きした働きを取り戻します。

脳を巡る研究は今大きく変化し、かつて定説とされていたことが次々と覆されています。脳の神経細胞の再生は、かつてはありえないとされていましたが、最近の研究でそれは間違いだったことがわかりました。特にアルツハイマー型認知症の中心となる海馬は、本当は最も神経細胞の再生が盛んな部位です。

認知症をおそれるあまり、症状に目を背け、医療機関に足を運ばなければどうなるでしょう。かなり高い確率で認知症になってしまうでしょう。

軽度認知障害（ＭＣＩ）は、認知症と健康な脳の分かれ道です。

もし現在、認知症の不安がある人は、迷わず認知症の専門医療機関を受診していただきたいと思います。軽度認知障害（ＭＣＩ）である人、あるいは既に認知症の診断を受けた人も、ぜひ希望を捨てずに、できることに挑戦していただきたいと思います。

第3章

医学治療はどこまで有効か

認知症かもしれないと思ったら

中高年になれば、誰しももの忘れや勘違いが増え、自分が認知症になるのではないか、あるいは既に認知症なのではないか、という不安を抱くことがあるものです。同じことを何回も聞いたり、ついさっきのことを忘れてしまったりすると、特にそうです。そんな時は、迷わず医療機関を受診するといいでしょう。かかりつけ医があればそちらで相談し、紹介状をもって専門外来を受診してもいいでしょう。

専門外来であれば正しい診断がつきやすいです。前章で述べたように、本当は治る認知症(正常圧水頭症や慢性硬膜下血腫など)や、認知症以外の病気で認知症に似た症状が出ている場合もあります。一般の病院だときちんとした検査なしに「年齢からいって認知症でしょう」といった安易な診断が下されることがあるので、やはり専門外来を受診すべきです。

もし認知症でなければそれにこしたことはありませんし、軽度認知障害(ＭＣＩ)であれば、治療によってよい状態に引き返すことも期待できます。

たとえ認知症になっても治療法はあります。加えて、自分でできる様々な方策もあります。第1章でご紹介したように、認知症のかなり重い状態から回復した人もいます。悲観することなく、手立てを打っていきましょう。

認知症と診断されるのをおそれるあまり、検査もせず時間だけが過ぎていくのはよくありません。もし認知症であればその間に病状が悪化してしまいます。

また通常の健康診断では脳の状態を調べないので、2~3年に1回脳ドックを受診するなど、認知症の検査を受けるのがよいでしょう。

専門外来を受診し総合的に診断

認知症かどうかを調べる専門外来は、神経内科、精神科、心療内科、脳外科、あるいは、総合病院などの「もの忘れ外来」があります。こうしたところでは複数の検査によって認知症か否か、そうであればどういった状態か、違う場合は何が原因かなどを調べることができます。認知症の検査は、おおむね次の流れで行われます。

①面談
②健康診断
③認知機能検査（心理検査）
④画像診断

いきなり専門的な検査というのではなく、医師の面談があり、患者が本人であれば自覚症状を、家族であれば家族から話を聞きます。この時、もの忘れなど生活の中で困ったことやトラブルなどを伝えられるように、メモ書きしていくといいでしょう。

認知症のような症状があったとしても、他の病気が原因かもしれません。もし持病があるのなら、あらかじめリストアップしておきましょう。

面談の後は、通常の健康診断が行われることが多いようです。繰り返しますが認知症以外の病気で認知症のような症状が出ていることもあるためです。中高年の更年期障害（男女とも）やうつ病では、症状の中にもの忘れなどの認知機能の低下があります。

こうした病気がわかれば、そちらの治療によって症状が改善するかどうか、様子を見ることになる場合もあります。

時間と費用の節約のために、直近の健康診断結果があれば持参するとよいでしょう。

認知症の心理検査にはどんなものがあるか

面談→健康診断の次は心理検査です。認知症に関する検査＝認知機能検査になります。代表的なものに「改訂 長谷川式簡易知能評価スケール」、「ミニメンタルステート検査（ＭＭＳＥ＝Mini Mental State Examination）」、「時計描画テスト」、認知症を含む様々な精神障害を診断する「精神疾患の診断・統計マニュアル（Diagnostic and Statistical Manual of Mental Disorders ＤＳＭ-Ⅴ」などがあります。

次ページに「改訂 長谷川式簡易知能評価スケール」を掲載します。検査は医師の質問に答える形式で行われます。30点満点で20点以下は認知症の疑いありと判定されます。

改訂 長谷川式簡易知能評価スケール（HDS-R）

1	お歳はいくつですか？　（2年までの誤差は正解）		0　1
2	今日は何年の何月何日ですか？　何曜日ですか？ （年月日，曜日が正解でそれぞれ1点ずつ）	年 月 日 曜日	0　1 0　1 0　1 0　1
3	私たちがいまいるところはどこですか？ （自発的にでれば2点，5秒おいて家ですか？　病院ですか？　施設ですか？のなかから正しい選択をすれば1点）		0　1　2
4	これから言う3つの言葉を言ってみてください．あとでまた聞きますのでよく覚えておいてください． （以下の系列のいずれか1つで，採用した系列に○印をつけておく） 1：a）桜　b）猫　c）電車　　2：a）梅　b）犬　c）自動車		0　1 0　1 0　1
5	100から7を順番に引いてください．（100－7は？，それからまた7を引くと？　と質問する．最初の答えが不正解の場合，打ち切る）	（93） （86）	0　1 0　1
6	私がこれから言う数字を逆から言ってください．（6-8-2，3-5-2-9を逆に言ってもらう，3桁逆唱に失敗したら，打ち切る）	2-8-6 9-2-5-3	0　1 0　1
7	先ほど覚えてもらった言葉をもう一度言ってみてください． （自発的に回答があれば各2点，もし回答がない場合以下のヒントを与え正解であれば1点）　a）植物　b）動物　c）乗り物		a：0　1　2 b：0　1　2 c：0　1　2
8	これから5つの品物を見せます．それを隠しますのでなにがあったか言ってください． （時計，鍵，タバコ，ペン，硬貨など必ず相互に無関係なもの）		0　1　2 3　4　5
9	知っている野菜の名前をできるだけ多く言ってください．（答えた野菜の名前を右欄に記入する．途中で詰まり，約10秒間待ってもでない場合にはそこで打ち切る）　0～5＝0点，6＝1点，7＝2点，8＝3点，9＝4点，10＝5点		0　1　2 3　4　5
		合計得点	

出典）大塚俊男，本間　昭監修：高齢者のための知的機能検査の手引き．ワールドプランニング，東京（1991）．

ミニメンタルステート検査（MMSE）

質問と注意点		回　答	得　点
1（5点）時間の見当識	**「今日は何日ですか」** ＊最初の質問で、被験者の回答に複数の項目が含まれていてもよい。その場合、該当する項目の質問は省く。	日	0　1
	「今年は何年ですか」	年	0　1
	「今の季節は何ですか」		0　1
	「今日は何曜日ですか」	曜日	0　1
	「今月は何月ですか」	月	0　1
2（5点）場所の見当識	**「ここは都道府県でいうと何ですか」**		0　1
	「ここは何市（＊町・村・区など）ですか」		0　1
	「ここはどこですか」 （＊回答が地名の場合、この施設の名前は何ですか、と質問をかえる。正答は建物名のみ）		0　1
	「ここは何階ですか」	階	0　1
	「ここは何地方ですか」		0　1
3（3点）即時想起	**「今から私がいう言葉を覚えてくり返し言ってください。『さくら、ねこ、電車』はい、どうぞ」** ＊テスターは3つの言葉を1秒に1つずつ言う。その後、被験者にくり返させ、この時点でいくつ言えたかで得点を与える。 ＊正答1つにつき1点。合計3点満点。 **「今の言葉は、後で聞くので覚えておいてください」** ＊この3つの言葉は、質問5で再び復唱させるので3つ全部答えられなかった被験者については、全部答えられるようになるまでくり返す（ただし6回まで）。		0　1 2　3
4（5点）計算	**「100から順番に7をくり返しひいてください」** ＊5回くり返し7を引かせ、正答1つにつき1点。合計5点満点。 正答例：93　86　79　72　65 ＊答えが止まってしまった場合は「それから」と促す。		0 1 2 3 4 5
5（3点）遅延再生	**「さっき私が言った3つの言葉は何でしたか」** ＊質問3で提示した言葉を再度復唱させる。		0 1 2 3
6（2点）物品呼称	時計（又は鍵）を見せながら**「これは何ですか？」** 鉛筆を見せながら**「これは何ですか？」** ＊正答1つにつき1点。合計2点満点。		0 1 2
7（1点）文の復唱	**「今から私がいう文を覚えてくり返し言ってください。『みんなで力を合わせて綱を引きます』」** ＊口頭でゆっくり、はっきりと言い、くり返させる。1回で正確に答えられた場合1点を与える。		0　1
8（3点）口頭指示	＊紙を机に置いた状態で教示を始める。 **「今から私がいう通りにしてください。右手にこの紙を持ってください。それを半分に折りたたんでください。そして私にください」** ＊各段階毎に正しく作業した場合に1点ずつ与える。合計3点満点。		0 1 2 3
9（1点）書字指示	**「この文を読んで、この通りにしてください」** ＊被験者は音読でも黙読でもかまわない。実際に目を閉じれば1点を与える。	裏面に質問有	0　1
10（1点）自発書字	**「この部分に何か文章を書いてください。どんな文章でもかまいません」** ＊テスターが例文を与えてはならない。意味のある文章ならば正答とする。（＊名詞のみは誤答、状態などを示す四字熟語は正答）	裏面に質問有	0　1
11（1点）図形模写	**「この図形を正確にそのまま書き写してください」** ＊模写は角が10個あり、2つの五角形が交差していることが正答の条件。手指のふるえなどはかまわない。	裏面に質問有	0　1

続けて81ページに「ミニメンタルステート検査（ＭＭＳＥ）」を載せていますが、こちらも医師の質問に答える形式で行われます。評価は次の通りです。

●27〜30点：正常
●22〜26点：軽度認知症の疑いもある
●21点以下：どちらかというと認知症の疑いが強い

どちらのテストも、これだけで認知症とは診断できませんが、試しに自分でやってみて、それから受診するかどうかを決める判断材料にしてもいいでしょう。それ以前の問診や、次に紹介する画像診断などを含めて、医師が総合的に診断することになります。

画像診断で脳の状態を診る

脳の画像診断にはＣＴやＭＲＩがあります。これらによって脳の形状が正常であるかどうか、萎縮があれば、どこがどのくらい萎縮しているかがわかります。認知症はタイプによって異常があらわれる脳の部位が異なるので、形状を把握する必要があるわけです。

最近はCTやMRIに加えてSPECTやPETといった検査が行われることがあります。これらは脳の血流を見る診断で、脳が働いているかどうかを判断する機能画像検査です。画像診断同様に、認知症はタイプによって働きが低下する部位が異なるため、これによって鑑別診断がしやすくなります。

またレビー小体型認知症の診断に有効な画像診断に「MIBG心筋シンチグラフィ」があります。

認知症に関わらず脳ドックで画像診断を受け、全く自覚症状がないうちに認知症の早期発見につながることもあります。自覚症状がないうちに治療を開始することで発症を抑え、認知機能を維持している人もいます。どんな病気でもそうですが、認知症も早期発見・早期治療が大変に重要であることがわかります。

早期発見が大切な理由。
認知症の始まりは発症の20年以上前？

なぜ早期発見が重要なのでしょうか。それは、認知症がどのようにして起きるのかという発症のメカニズムに理由があります。この病気は、発症の20年も前から脳に異変が起きているのです。

アルツハイマー型認知症を例にとると、この病気は脳の海馬という組織に、老人斑といわれる、タンパク質・アミロイドβの沈着物ができることで起きると考えられています。認知症の症状が出始めるのが70代だとすれば、その20年前にはすでにアミロイドβの蓄積が始まっているといいます。早い人は40代で既にその傾向がみられるようです。

アミロイドβだけでなく、発症には別のタンパク質であるタウタンパク質の蓄積が深く関わっていますが、その前段階、アミロイドβがこびりつき始めた時点で発見することに大きな意味があります。この段階で脳の異変を察知することで、認知症の発症を未然に防ぐ可能性が高くなります。

アメリカでは認知症発症前の状態として、軽度認知障害（ＭＣＩ）と、さらにそれ以前の段階である認知症プレクリニカル期の２段階が提案されています。

プレクリニカル期とは軽度認知障害（ＭＣＩ）のさらに前の段階。認知機能の低下は全くなくても、精度の高い画像診断などで、脳の異変がわかる段階です。確かにこの段階から予防に励めば、認知症対策はさらに有効だと言えるでしょう。

いずれにしても認知症は、可能な限り早く発見すれば、発症を防げると考えられます。発症の予防、進行の予防のためには、第４章でご紹介するような多様な対策を積み上げることが不可欠と思われます。

認知症の薬物療法

認知症の治療は、大きく分けて薬物療法とそれ以外の治療とに分けられます。

薬物療法は、アルツハイマー型認知症の薬と周辺症状に効く薬があります。脳血管性認知症の場合は、脳の血流を改善する「抗血小板薬」や脳を活発に働かせる「脳代謝改善薬」などが使われます。

それ以外の治療は運動、脳トレなどのリハビリテーション、食事やサプリメント、環境改善など様々な方法があります。

認知症の薬

代表的な認知症の薬は、現在のところアルツハイマー型認知症の薬であるドネペジル（商品名・アリセプト）が主であり、他にガランタミン、リバスチグミン、メマンチンの3剤を併せた4剤です。それぞれ複数の後発薬（ジェネリック）があります。塩酸ドネペジルはレビー小体型認知症にも使われています。

他に症状に応じて向精神薬、抗不安薬、抗うつ薬などが処方されます。また抑肝散（よくかんさん）という漢方薬は、興奮や暴力、暴言などの周辺症状に効果があるということで、近年よく用いられるようになりました。

▼塩酸ドネペジル（商品名・アリセプト）

日本で開発された薬（1999年）で、アルツハイマー型認知症への中心的な薬です。この病気では、記憶や学習を担う神経伝達物質アセチルコリンが脳内において減少します。ドネペジルは、アセチルコリン濃度を高めて神経伝達を助けます。

副作用は易怒性（いどせい）、つまり怒りっぽくなる、興奮しやすいといった症状がみられることです。他にも食欲不振、胃腸障害、吐き気、頭痛、手足のふるえ等が起こることがあります。また、ドネペジルはレビー小体型認知症にも処方されることがあります。

▼ガランタミン（商品名・レミニール）

アリセプトと働きはほぼ同じで、アセチルコリンの働きを良くして記憶力や学習能力を高めます。副作用として吐き気や食欲不振などが起こることがあります。

▼リバスチグミン（商品名・リバスタッチパッチ、イクセロンパッチ）

アリセプト同様、アセチルコリンの働きを高めます。他の薬と違うのはパッチ、つまり貼り薬なので胃腸への負担が少なく、薬が飲めない人にも有効です。腕や背中などに貼ることで経皮吸収させるタイプの薬です。

▼メマンチン（商品名・メマリー）

アルツハイマー型認知症の４種類の薬の中で、唯一作用が異なり、アセチルコリンではなくグルタミン酸に働きかけます。

グルタミン酸という物質は脳内では神経伝達物質として働いていますが、アルツハイマー型認知症においてはこれが過剰になり、かえって記憶や学習の働きを妨げています。メマンチンは過剰なグルタミン酸の放出を抑えることで記憶力を改善します。あくまで「過剰な分」を抑えるので、正常なグルタミン酸の放出や記憶のシグナルまで抑える事がなく、幻覚などの副作用はありません。

徘徊や暴言、うつ、不眠などの周辺症状を抑える薬

アルツハイマー型認知症などに使われる薬は以上の4種類です。薬の働きを見るとわかるように、これらは脳で起きているトラブルの大元に働きかけます。症状でいえば中核症状に働きかける薬です。

他に認知症における様々な周辺症状、徘徊や暴言、暴力、うつ、不眠、介護への抵抗

など具体的な問題、困った行動に関しては、それぞれに応じた薬があります。例えば妄想や幻覚、攻撃性などに対しては向精神薬が使われます。衝動性や興奮を抑える抗てんかん薬のデパケン、テグレトール、統合失調症に使われるリスパダールなどです。

また抑うつ状態、食欲減退などには抗うつ薬のトリプタノール、抗不安薬のアモキサン、パキシルなどがあります。他にも不眠には睡眠導入剤なども使われます。

効果がなくても止められない

ドネペジル（商品名・アリセプト）をはじめとした薬の効果は「病気の進行を遅らせる」ことです。病状を改善したり、正常な状態に戻したりといった効果は期待できません。早期の人が使って、うまくいけば一定期間の現状維持といったところです。効果はごくわずかです。

しかし、このことが患者本人やその家族に、どの程度正しく伝わっているかというと、疑問です。医療や介護の現場では「いいお薬がありますよ」「効く薬がありますよ」といった説明になっていることがあるようです。

認知症をテーマにしたテレビや雑誌などで、専門医が「アルツハイマー病には薬があります」といった説明をしていることがあります。それは家族や本人を悲観させないための慰めの言葉と受け取った方がいいでしょう。そもそも専門家が言う「効果」と、患者サイドが想像する「効果」とは、かなり違うものです。

ドネペジル（商品名・アリセプト）は、日本が世界に先駆けて開発した抗認知症薬です。つまり日本が世界に誇る薬です。そのためか日本では特に評価が高く、多くの患者に投与されています。

ただしその効果は、繰り返しますが「進行を遅らせること」であり、改善には程遠いのが現状です。フランスでは、この薬をはじめとした認知症の4つの薬は、効果が充分ではないとして、健康保険の適用から外されてしまいました。

日本では「世界的に有名な認知症の薬」をいったん飲みはじめると、効果が感じられなくても漫然と飲み続けている患者さんは少なくないようです。

主治医は、少しでも患者さんに合った薬を処方しようとしますが、こうした薬の限界を誰よりもよくわかっていて、それでも処方をやめないのが実情のようです。

症状を抑えながら介護に備える

今日の抗認知症薬の最大の役割は、「症状の進行を遅らせる」こと。そうして患者本人や家族に猶予をもたらし、介護に向けて準備ができることと言ってもいいかもしれません。〝有名な薬〟を飲んでいるということ、4種類の薬を試してどれかは効果があるかもしれないということ、徘徊や暴言など周辺症状に効く薬が色々あって、試しながら治療ができるということ。

認知症においては、薬物療法は治療の一部です。それ以外の方法もたくさんあります。けれども、認知症と診断されても、必要な対策を一度にスタートできるわけではありません。専門家と相談しながら、利用できるサービスを取り揃え、少しずつ積み重ねていかなければならないのです。

薬物療法は、こうした積み重ねや準備の下支えのようなものになります。患者の家族や周囲の人々は、患者が生活しやすい生活環境を整えたり、介護のノウハウを学んだり、介護サービスを導入したりといった準備をすることができます。将来的には介護施設に入所することも含めて、考えるべきこと、やるべきことを積み重ねていくわけです。

認知症の患者は徘徊して事故にあったり、食べ物でないものを口にしたりと、危険な行動をすることがあります。そうした危険を未然に防ぐためにも、症状が進行するまでに、それに備える準備期間が必要です。

認知症の治療においては、薬物療法が占める比率は、今のところあまり大きくありません。むしろ運動などのリハビリテーション、食事やサプリメント、環境改善、そして介護全般など、薬物療法以外の部分が圧倒的に大きくなります。

認知症と漢方薬、自然の生薬が求められている

今日、医学治療に使う薬の中で、漢方薬の存在が非常に大きくなっています。以前は「漢方薬を処方するのは、東洋医学に興味のある医師」だけでしたが、今日ではほとんどの医師が処方しており、漢方薬を無視しているのは時代遅れといった風潮になりつつあります。

実際に漢方薬を取り入れると、少なくとも治療法のバリエーションが広がります。他の薬の弱点を補ったり、相乗効果を狙ったりといった、新たな治療の戦略がたてられるようになり、回復への道筋が増えることになります。

認知症においても同様で、抑肝散という漢方薬は今や認知症薬のスタンダードと言っても過言ではありません。

漢方薬としての抑肝散は、もともと子どもの夜泣きや疳（かん）の虫に効くとされる古くからある薬で、大人用ではありませんでした。しかし興奮をしずめ、穏やかにする作用は大人にも効き、特に認知症の徘徊や幻覚、暴力などにも効くとして一躍有名になり

ました。

メンタル面だけでなく、神経の高ぶりを抑え、筋肉の緊張、こわばりをゆるめて体もリラックスさせ、心身の状態を整えます。

そのため、認知症のみならず、さまざまな精神・神経疾患の補助薬として処方されています。例えば様々な神経症、不眠症、統合失調症、双極性障害（昔で言う、そううつ病）、てんかん、パーキンソン病などにも併用が有効とされています。

素材の相乗効果と西洋薬の補助的な役割

漢方薬は、いわゆる薬草薬木など自然の草や木からとった「生薬」の組み合わせでできています。抑肝散も次の7種類の生薬のブレンドです。参考までに、それぞれの成分と働きを紹介してみます。

柴胡（さいこ）……熱や炎症を抑え、筋肉の緊張をゆるめる。
釣藤鈎（ちょうとうこう）……脳の血管を広げ血液循環をよくする。
蒼朮（そうじゅつ）……水分の循環をよくする利尿薬。
茯苓（ぶくりょう）……気分を落ち着ける、動悸（どうき）を治める。
当帰（とうき）……血行を良くする、貧血を改善する。
川芎（せんきゅう）……鎮痛・鎮静・強壮作用。冷え性を改善。
甘草（かんぞう）……痛み、炎症を抑え、緊張をほぐす。

いかがでしょうか。釣藤鈎のような直接脳血管を広げる成分が含まれており、組み合わせも興味深い内容です。複数の生薬を組み合わせることで相乗効果が生まれ、様々なアプローチで脳の働きをサポートしていることがわかります。

認知症治療のための抑肝散は、ドネペジルなどとの併用で処方されることが多いようです。というのもドネペジルには、副作用として易怒性（怒りっぽくなる）や興奮などが起こることがあるので、それを抑える補助的な効果が求められていることもあるようです。

最近では、レビー小体型認知症の幻視を抑える作用があることがわかり、この病気に対しても処方されるようになりました。

強い薬は使えない。効果もはかりにくい

認知症の患者の多くは高齢者です。薬に対する感受性も若い人よりデリケートなので、強い薬をいきなりたくさん使うことはできません。処方も効果の把握もとても微妙です。

また、認知症という病気の特性から、新たに飲んだ薬の効果を正しく把握できないことがあります。比較的若い人で、病識（自分が病気であるという自覚）のある人であれば、その薬を飲んでいると頭がスッキリする、と答える人もいるようです。しかし、多くの場合、周囲の人の「以前より話が通じやすい」「以前より落ち着いている」といっ

た観察を参考にすることが多くなります。

また高齢者の場合、高血圧や糖尿病などの持病を持っている人が多く、たくさんの薬を常用していることが多いものです。そこに新たに認知症の薬を加えることになると、その影響や体調面での変化も考えなければなりません。

さらに、認知症という病気の特徴から、痛みや便意を感じにくかったり、熱が出ていても気づかなかったりと、難しい問題が重なります。

そのため薬の効果は、副作用も含めて、周囲の人が注意深く観察しなければなりません。効いているのかどうか、薬の量は適正なのか、他の薬との飲み合わせはどうかなど、本人に代わって周囲が判断することになります。

最近は、不要な薬は減らしていこうという動きが出てきました。飲まなくてもいい薬、他の薬を優先した方がいい場合など、試行錯誤が進んでいます。

これまでのように、複数の医師が、それぞれの専門の薬をそれぞれに処方して終わりではなく、患者ひとりひとりの健康状態に応じて薬全体を管理する取り組みが進んでいるのは、とてもよい傾向だと言えるでしょう。

認知症患者への周囲の対応

もし両親や祖父母、あるいは妻や夫などが認知症になった場合、その介護、ケアにあたる人は、どのように接したらいいのでしょう。ここで認知症患者への周囲の対応について、簡単にまとめておきましょう。

●叱らない

認知症の人は簡単なことを覚えられず、同じことを何回も聞いたり、自分のしたことも忘れてしまいます。それを直そうとして「何回言えばわかるの?」などと叱るのはよくありません。認知症は記憶障害があるので「覚えられない」「忘れる」のは病気の症状そのものです。認知症は記憶力は衰えても、感情の反応は衰えていません。もし叱られたら、理不尽に叱られた、といういやな感情だけが残ります。

こうしたマイナスの体験や感情が積み重なると、異常行動や妄想などが悪化し、病気が進行してしまいます。

どうしてもやめてほしいこと、理解してほしいことは、「紙に書いて貼っておく」と有効です。耳から入った言葉はすぐ消えても、文字はずっとそこにあるのでわかりやすいのです。

●否定しない、議論しない

認知症の人は、もの忘れなどが原因で間違ったことを言ったり、とんちんかんなことをしたりします。真夏なのにセーターを着こんだり、自宅にいるのに「家に帰る」と言いだしたりします。これを否定したり、理由を問いただしたりしても、本人が嫌な思いをするだけです。「そうなの」といったんは気持ちを汲んで、さりげなく別の服を着せたり、「一緒に行くからちょっと待ってて」と同行するそぶりで時間を稼いだりするといいようです。

●模様替えなどで生活環境を変えない

新しいことを覚えられない認知症の人は、家具の配置や部屋の間取りが変わると、どうしていいのかわからなくなることがあります。住み慣れた環境、同じ生活様式であることが安心につながります。

●危険なものを置かない

認知症が進行すると、食べ物でないものを口にしたり、刃物や薬品が危険であることがわからなくなることがあります。こうしたものは本人の目の届くところに置かないようにします。

●できること、好きなことは続けてもらう

認知症の人は新しいことを覚えるのは苦手ですが、昔からやっていることは上手だったり、楽しくできたりします。料理や掃除、お花や野菜の世話など、できることはなるべく続けてもらうことが心の安定につながります。

失敗や危険を回避するために何もさせないと、病状が進行してしまうことがあります。多少の失敗は大目に見て、楽しく時間を過ごしてもらうとよいようです。

●敬意をもって接する

認知症の人は、物事がよくわからず、自立した行動がとれないので、周囲の人は優しく接しようとするあまり、子ども扱いしてしまうことがあります。これは患者の自尊心を傷つけ、抑うつや反発をまねきます。「赤ん坊扱いするんじゃない」などと怒りをかっては意味がありません。

患者が高齢者、年長者であるなら敬意をもって、できないことは「お手伝いさせてもらう」というスタンスで接することです。

相手の気持ちになって接する

認知症という病気や患者をよく知らない人は「認知症って何もわからなくなるんだろう」「赤ん坊に戻るんだろう」といった考えを持つようです。しかし実際は全く違います。

認知症という病気になったことで、患者本人はとても傷つき、つらい思いをしています。さっきのことも思い出せない、当たり前のことができない、失敗ばかりする。過去も現在も判然としなくなり、自分自身が壊れていくような感覚です。そうしたことに強い恐怖や絶望を感じています。

認知症の人のすることには、それなりの理由があります。日々繰り返す失敗を取り繕うために、失禁して汚れた下着をタンスにしまいこんだり、なくしたサイフは「嫁が盗った！」と人のせいにしたりするのです。

周囲はこうした状況に振り回され、どうしたらいいのかわからなくなるようです。けれどもその対応は、たった1つの配慮をするだけでいいのです。それは、もし自分がそんな状態になったら、どんな気持ちだろうと思うことです。その不安や悲しみ、恐怖を想像すると、どう接したらいいかが自ずとわかってきます。「こんな時はどうする」的なノウハウも大事ですが、気持ちによりそうようにする方が臨機応変に対応できます。

ひとりで抱え込まない

親や配偶者が認知症になったとき、誰もが、家族が介護をしなくてはならないと考えます。責任感の強い人ほど「自分が面倒を見なければ」と思い込みます。

しかし認知症は、進行するにつれて症状が悪化し、介護の負担がどんどん重くなっていきます。寝たきりになると介護は24時間、365日休みなしです。到底、ひとりの介護者が引き受けられる状況ではなくなります。

介護する人は、疲れやストレスから自身が病気になったり、虐待につながることもあります。

認知症の介護では、決してがんばりすぎず、ひとりで抱え込まないことが大切です。今日、認知症には医療、福祉、地域のサービスがとても充実しています。こうしたサービスは全てが連携していて、どこで相談しても必要なサービスにつながり、負担を軽くすることができます。寝たきりなど身体的介護が必要になったら、介護施設に入所して専門家の手に委ねた方がいい場合が多いのです。

介護される人も、配偶者や子どもに、自分のために生活を全て捧(ささ)げて尽くしてほしいとは思っていません。介護は介護施設や専門家に任せ、あるいはそうした助けをフルに利用して、自分の生活も大切にした方がいいのではないでしょうか。

脳の神経細胞は元通りにはならない？新薬への遠い道

日本の認知症患者は2015年の時点で500万人以上、世界では5000万人以上と言われ、年々その数は増えています。どの国も強い危機感を抱き、新薬の開発が急がれています。世界中の製薬メーカーも、莫大(ばくだい)な資金を投じて根治につながる薬を作ろうとしています。

ところが、これがなかなかうまくいきません。いくつもの薬が新薬の名乗りを上げていますが、いずれも途中で挫折しています。

新聞によると、認知症の新薬に取り組んでいるノバルティス社、バイオジェン社、イーライリリー、ファイザー、ロシュといった世界的な製薬会社が、ことごとく開発を断念。アメリカでは、これまで開発中止に至った薬は100を超えると報道されています。

開発が難しい理由とされているのが、認知症が長い時間をかけて発症する病気であること。脳の神経細胞にアミロイドβが蓄積し始めてから、発症までに10年〜20年。発症する頃にはかなりの神経細胞が死んでしまっているといいます。

神経細胞が再生しなければ元には戻らない

現在、開発が進められているのは認知症の根治薬です。原因物質とされるアミロイドβをとり除こうとする薬です。しかし、発症してからアミロイドβを取り除いても、死んでしまった神経細胞がよみがえらなければ症状はよくなりません。

認知症が発症してからこの病気を治すには、アミロイドβを取り除き、かつ神経細胞を再生させなければなりません。

抗認知症薬を開発することの難しさは、脳の神経細胞の再生が極めて難しい、というより、始めから神経細胞の再生が意図されていないことに起因するのではないでしょうか。これらの薬の開発がスタートした頃を仮に10年～15年前だとすると、脳に関する知見もそのくらい昔のものということになります。開発途中で、脳について新たな発見があった時に、その開発は柔軟に変化していくのかが疑問です。

現在京都大学で、iPS細胞を使ったアルツハイマー病の研究が行われています。こうした再生医療が現実のものになれば、アルツハイマー病の根治に大きく近づくでしょう。

2020年、新薬がアメリカの食品医薬品局に申請の予定

最も新しいニュースでは、ドネペジルを発売しているエーザイが、アメリカの製薬会社バイオジェン社と共に新たな認知症薬アデュカヌマブを開発し、FDA（米食品医薬品局）に申請するという情報があります。この薬は認知症の原因物質とされるアミロイドβを除去する働きがあり、臨床試験では患者の病気の進行を2割遅らせる可能性があるとして期待が寄せられています。

実はエーザイがこの薬の認可を申請するのは今度が2回目。以前、治験の途中で有効性が認められないとして申請を取り下げた経緯があります。その後、有望なデータが集まったとして再挑戦することになったようです。

さて2度目の挑戦とはいえ、この情報は、医科学分野の専門家にとってはなかなかのビッグニュースなのかもしれません。何十年も実現しなかった新薬です。新聞によっては「根治薬」と報じているくらいですので、いかに認知症医学にとって大きな進歩と受け取られているかがわかります。

けれどもニュースをよく読むと、この薬の効果は「認知症の進行を2割遅らせる」というもの。どこにも「回復する」や「治る」といった文言はありません。それが、これほどのニュースになるのかと逆に驚かされます。

そもそも2割遅らせるとはどういうことなのでしょうか。従来であれば5年で入院するような病状が6~7年もちました、というくらいでしょうか。それはドネペジルとどのくらい違うのでしょう。認知症に苦しむ患者やその家族にとって、どれほどの朗報なのでしょうか。

このことは、医学界や医薬品業界と、患者や一般の人々との感覚の違いを表しています。

おそらく、この薬がアメリカで認可され、いずれ日本で使われるようになっても、驚くような効果をもたらすことはないでしょう。驚かされるのは、ひとり年間2千万円どもささやかれている高額な薬価です。

アントロキノノールの認知症薬がFDAに認可申請を予定

これまで100以上の薬が申請途中で撤退している抗認知症薬の世界。前述のアデュカヌマブ（エーザイ）以外にも、2020年内に新薬として認可申請を予定している薬があります。それが本書でご紹介しているアントロキノノール含有エキスの薬です。

このように述べると、「アントロキノノール含有エキスはサプリメントではないのか、薬なのか」と驚かれそうです。

少々ややこしい話ですが、次の通りです。まずアントロキノノール含有エキスはサプリメントです。既に原産国の台湾で多くの人に使われ、日本でも使う人が増えてきました。そして同じ原材料で、濃度の高い、純度の高いアントロキノノールが薬として作られ、抗認知症薬として認可申請される予定だということです。

同じ原材料なのにサプリメントだと内容がどうなのか、薬だとどこが違うのかは次章以降に詳しく紹介します。

もしこの薬が認可されれば、認知症患者にとって新しい選択肢が増えます。それがサプリメントと同様の方向性で働き、かつ強力であれば、本当の意味で朗報になると思います。

ただサプリメントにはサプリメントのよさがあり、それは今後とも重要なのではないかと思うのです。それはなぜなのかは順次、詳しく述べたいと思います。

次章は、自分でできる認知症予防・改善策について紹介します。その中で認知症のサプリメントについても詳しく述べていきます。

第4章

自分でできる認知症の予防・改善法

予防と改善にとって重要なこと

認知症治療には、薬物療法以外にも様々な治療法があります。これまでの認知症研究で、運動や脳トレーニングなどのリハビリテーション、介護など様々なケアが非常に重要であり、また効果が高いことがはっきりしてきました。

62歳で軽度認知障害（ＭＣＩ）と診断され（２０１３年）、様々な工夫と努力で認知症のふちから帰還したジャーナリストの山本朋史（やまもと・ともふみ）氏をご存じでしょうか。氏の挑戦を参考に、ここでは自分でできる認知症予防・改善方法をご紹介します。

山本氏によれば、特に〝効いた〟と感じたものは運動、その中でも筋肉トレーニングだそうです。認知症は脳の問題なのに、体を動かし鍛えることで脳が元気になる。ちょっと不思議ですが、体を動かすことは、脳にとって重要な刺激になるようです。単純に考えても、脳への血流がよくなりますし、運動によって脳に送られた信号で様々なホルモンが分泌され、多くの組織が活性化すると考えれば納得です。

あるいは脳トレーニング、いわゆる脳トレです。認知機能向上が証明された脳トレ素材がたくさんあります。その中からいくつか選んで、継続して行うことは、きっと効果があります。「継続して」行うことがミソです。

山本氏は軽度認知障害（ＭＣＩ）と診断されてから約7年にわたって様々な挑戦をしておられ、最近のメディアでの登場をみると、7年前より認知機能は向上しているようです。

軽度認知障害（ＭＣＩ）から正常な状態に戻った人のことをリバーターと呼びますが、山本氏はまさに日本を代表するリバーターと言えるでしょう。

どんな状態からでも、めざせ！ リバーター

リバーターとは、医学的には軽度認知障害（ＭＣＩ）から正常な状態に戻った人のことです。語源は英語の revert（戻る、帰る）です。この場合、単に戻るだけでなく「復

帰する」「とりもどす」「立ち返る」といった前向きな意味を持ちます。

最近の研究では、軽度認知障害（ＭＣＩ）からリバーターと言える状態に回復する人は、15％〜44％というデータがあります。調査によって数字に開きはあるものの、軽視できない数字です。非常に希望が持てる数字とお感じになられた読者の方も多いと思います。

認知機能が低下していても、回復の可能性は以前言われていたより高いのではないか。研究者の間でも期待度は高まっているようです。

これは軽度認知障害（ＭＣＩ）だけでなく、ある程度進行した認知症であっても当てはまることだと思います。第1章にも認知症状から回復を遂げた人が複数登場しました。病状からして、多くの人が回復は無理だと感じる状態からの回復です。

そもそも脳という臓器の実態も、認知症という病気の原因やメカニズムも、まだまだわからないことだらけです。かつて信じられていた定説（例・脳の神経細胞は再生しない）が、次々とひっくり返っている（例・脳の神経細胞は生涯、新たに生まれ続ける）分野でもあります。

認知症のどのような状態からでも、回復する可能性はあると思います。どんな病状の人でもリバーターになりうるのです。そのためのいくつかの方法をご紹介してみましょう。

運動

運動は最高の予防・改善法、認知機能向上にも

日本で最も有名なリバーター（軽度認知障害から正常に回復した人）であるジャーナリストの山本朋史氏は、リハビリの中で有効だったものとして運動、特に筋肉トレーニングを挙げています。

誰でもランニングなどの運動をしているとだんだん気分がよくなり、時に疲れを忘れるほどの爽快感、高揚感を感じることがあります。いわゆるランナーズ・ハイですが、あれは脳内でエンドルフィンなどのホルモンがたくさん分泌されているからです。神

経伝達物質であるホルモンは脳内の組織を次々と刺激し、活性化します。脳が健康に働くためには、こうした作用が必要なのです。

逆に運動不足は全身の不活発につながり、認知症を発症する要因とされます。運動は認知症の発症や悪化を食い止め、改善につながることに間違いありません。

さらに運動をすると肥満解消につながり、筋肉が形成され、糖尿病等の基礎疾患の予防・改善になります。

高血圧、脂質異常症などの解消にとっても運動はとても大切です。これら血管にかかわる生活習慣病は、認知症になりやすくする上に病状を悪化させる要因であり、特に糖尿病の人は、そうでない人より何倍も認知症になりやすいことがわかっています。

国立長寿医療研究センターなど、全国の高齢者の医療機関や研究機関では、認知症と運動に関する様々な研究が行われています。認知症患者、軽度認知障害（ＭＣＩ）とみなされる人、健常な高齢者など、認知症とその周辺とみなされる人々を対象に、運動がもたらす効果について臨床試験が行われています。

詳細は省きますが、どの試験結果を見ても、運動によって、認知機能の改善や脳の萎縮の抑制など良好な結果が得られています。

運動は認知症の予防効果が高いだけでなく、既に認知症である人の進行の抑制や症状の改善に大きな役割をはたすことに間違いないようです。

10分の軽い運動で記憶力も認知機能もアップ

ヨガや体操、ウォーキングなどの軽い運動を短時間行うことで、脳の学習や記憶を司る海馬が活性化し、記憶力や認知機能が高まることがわかってきました。

筑波大学体育系運動生化学の征矢英昭（そやひであき）教授らの研究グループは、これまでもマウスを用いて、軽い運動で海馬の神経細胞の数を増やせることなどを発表してきましたが、あらたにヒトの海馬でも同様の現象が起きることを証明しました。

2018年に征矢教授のグループが「米国科学アカデミー紀要」に発表した論文の一部を紹介しましょう。学生36人に10分間自転車をこぐ運動をしてもらい、約600

枚の絵から同じ絵を判別するテストを実施。同時にテスト中の脳をＭＲＩで撮影しました。結果、運動をした場合としない場合では、した場合の方が正答率が高く、かつ海馬の情報の入り口であって、大人の脳で神経細胞が誕生する歯状回と呼ばれる部位が非常に活性化していることがわかりました。歯状回は認知症において最も損傷が著しい箇所です。

ちなみにこの研究から、記憶力や認知機能をアップする運動は軽いものがよいこと、所要時間も10分程度でよいことがわかりました。あまり長いと疲労がストレスになり、人によっては逆効果になる可能性もあるからでしょう。

有酸素運動がオススメ。合間にきつめの筋トレ（無酸素運動）もオススメ

10分程度の軽い運動が記憶力や認知機能のアップに最適と述べましたが、言い方を

変えると、軽めの有酸素運動がよいと言えます。たとえばヨガ、ウォーキング、水泳、負荷の少ないエアロビクスなどがそれです。

いずれもマイペースで行えば、あまり体に負担がかかりません。毎日10分であれば続けるのも難しくないでしょう。有酸素、つまりたくさん酸素を吸い込むので、脳に新鮮な酸素と血液を送れる点も理想的です。

ただし、運動能力は個人差が大きいので、人によって負荷の度合いや運動時間は変えていいのです。10分なんてやったうちに入らない、という人は30分から。10分も難しいという場合は5分からスタートし、だんだん伸ばしていけばいいでしょう。

ではキツめの筋肉トレーニングはどうなのでしょう。本章はじめに紹介した、軽度認知障害（MCI）から回復したリバーターの山本氏は、「筋トレが効いた」と証言しています。実はキツめの筋トレも、脳にはとても効果があるようです。

筋トレのような短時間に強い負荷をかける運動を無酸素運動といいます。無酸素運動は、筋肉を作り上げるために大量の成長ホルモンを分泌させます。成長ホルモンは、通称若返りホルモンと呼ばれ、脳においては積極性や情緒の安定、意欲などを高めます。疲労回復効果もあるため、脳だけでなく体にとっても重要なホルモンです。

体力のある人は有酸素運動の合間に無酸素運動、例えばウォーキングの最後に腹筋運動を行うなどすると、より効果的です。

認知症の海馬では神経細胞は再生する？

大人の脳の神経細胞は「1度死んだらそれきりで再生されることはない」とされてきました。これは1913年にスペインの偉大な脳科学者ラモン・カハールが述べた「大人の脳は固定されたもので、不変である」という見解に由来します。彼は、こう述べる7年前にノーベル賞を受賞していた脳科学界のドンでした。

ドンは、生きている脳の回路は、ホルマリン漬けにされた脳の標本と同じように不変で、構造もはたらきも固定されていると主張しました。この見解は、後の脳科学者たちや一般人に広く受け入れられ、ドグマとなって100年近くも君臨したのです。

しかし、この常識は、1998年11月サンディエゴにあるソーク研究所のフレッド・ゲージ教授のグループによって覆されました。ヒト脳の神経細胞は、大人になってからでも死ぬまで誕生しているが証明されたからです。

近年ようやくこの説を覆す動きが盛んになってきたところです。

脳の神経細胞は一度損傷しても再生する、新しい神経細胞が生まれる。なかでも脳内にある海馬の歯状回と呼ばれている部位では、神経細胞の新生が毎日起こっていることがわかったのです。

研究によれば、ネズミの歯状回では1日に約数千個の神経細胞が新たに生まれています。ヒトやサルなどの霊長類でも、ネズミほどではないのですが、神経細胞が新たに生まれていることがわかってきました。

少し前に述べたように、歯状回とは海馬の一部で、記憶を司る部位です。アルツハイマー型認知症はもの忘れがひどいことからも、海馬、特に歯状回の部位が損傷していくことがわかっています。しかし歯状回は新しい神経細胞を再生する部位でもあるので、この部位の損傷を阻止するよう働きかけることが重要です。

このように、脳という組織や認知症という病気の解明が進むにつれて、これまで不可能とされてきたことが可能になり、新しい治療方法や改善方法が見えてきているのです。

運動によって海馬の神経細胞が増える？記憶力を高めるコグニサイズ

ここから具体的に、記憶力や認知機能を高める運動についてご紹介していきます。

認知症の患者向けの運動には様々なものがあります。ここでは国立長寿医療研究センターが考案した「コグニサイズ」をご紹介します。

「コグニサイズ」とは、コグニション（認知）とエクササイズ（訓練、練習）を組み合わせた言葉です。頭を使った訓練と体を使った訓練を同時に行うので、脳の異なる領域を連動させることになります。脳の神経細胞のシナプスが、決まったつながりでなく、縦横無尽につながることがよいのです。

コグニサイズは基本となるステップだけでなく、コグニウォーク、コグニダンス、

コグニバイクなど色々な運動に展開できます。

ただテンポや時間によって、また行う人の運動能力や体調によって負荷が変わってきます。始める前に体調をチェックして、無理をしない範囲で続けることが大切です。

▼コグニステップ

STEP1

両足でしっかり立って1から順に数を数え、3の倍数で手を叩きます。「1、2、3（パン）、4、5、6（パン）」という感じです。試しに100までやってみます。

STEP2

ステップを覚えます。①で右足を右へ、②で右足を戻します。③で左足を左へ、④で左足を戻します。この繰り返しです。

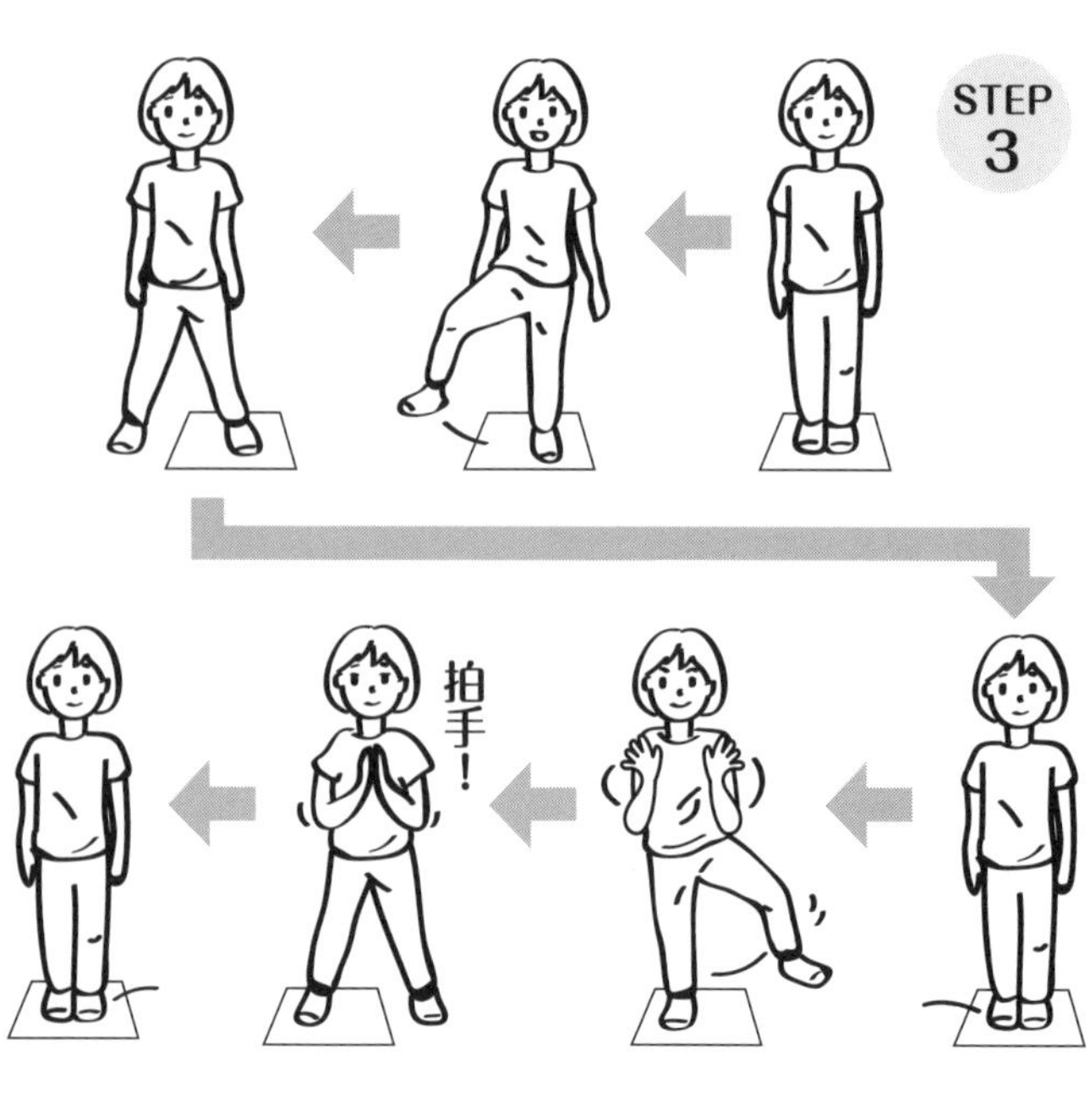

STEP3

STEP1とSTEP2を同時に行います。足のステップが4拍子、手拍子が3拍子なので、同時に行うのは結構難しいものです。間違えて当然。笑っていいのです。笑いながらがんばる。そうやって続けるのがより効果的だとされています。

まずは1分。次に3分、5分と時間を長くして行います。慣れてきたら3の倍数ではなく4、5など他の数字でもやってみます。

▼コグニウォーク

2人以上で行います。ウォーキングをす

**いつもより大股で、しりとり・計算などを
交えて少し速く歩く！**

る際、意識して少し速く歩きます。同行者としりとりや計算問題をしながら歩きます。計算は「100から順に3を引いていく」など、ちょっと難しくて続けやすいもの。時間は1回10分程度を3回など、試しながら決めていく。途中で計算やしりとりが詰まっても、足は止めないようにします。

他にもコグニサイズをアレンジした様々な運動があり、日本中の自治体や介護関連団体などが情報発信しています。インターネットで検索して、続けやすく楽しいものを選んで挑戦してみるとよいでしょう。

脳トレは、興味のあるもの、楽しいものを選んで

認知症の予防や改善によい脳トレには色々なものがあります。例えば大人の計算ドリルや塗り絵、折り紙、クイズ、ゲームなど。最近の書店には脳トレのコーナーがあり、自分の好みやレベルに応じたものを手に入れることができます。

例えば「塗り絵」というと、そんなものは小さい子どもの遊びじゃないかと思うかもしれませんが、全くそうではありません。大人向けの塗り絵は繊細で複雑、真剣に取り組めばプロ並みの絵ができるものがたくさんあります。ルノアールやフェルメール、北斎などの名画をモチーフにしたものもあり、リハビリではなく趣味として取り組んでいる人もいます。

大人が楽しめる高度な素材がたくさんあるので、何かしら興味を持てるものがみつかると思います。

選ぶ時のポイントは、自分の好みに合うもの、やってみたいと思うものを選ぶこと

です。脳トレだからといって、全く興味のない問題集やドリルなどを選ぶと結局は続きませんし、ストレスになります。脳への効果も減ってしまいます。必ず自分の好み、趣味、興味に合うものを選ぶことです。

「誰かと一緒」が一番効果的

脳トレには色々なものがあります。どんなものでも、効果を上げるために最も大切なのは、誰かと一緒に行うことです。

人と話をする、コミュニケーションをとる、ということは、それだけで最高の脳トレです。相手の話を聞き、理解し、反応する。共感したり、反発したり、言葉を選んで、気を使って、楽しい時間を過ごそうとする。コミュニケーションは、頭をフル回転させて行う、非常に高度な脳トレなのです。

コミュニケーションに関していえば、総じて女性の方が上手かもしれません。女性はいくつになっても、友達を作ったりグループで活動するのが上手です。一方男性は総じて人付き合いが苦手で、閉じこもりがちです。

認知症予防・改善を考える場合、人付き合いの苦手な男性(女性も)は、高齢であればデイケア、デイサービスを利用するのがおすすめです。デイケア、デイサービスでは、運動はもちろん、様々なレクリエーションを実施しており、脳トレの百貨店です。スタッフは常に新しく効果的な脳トレを考えています。参加者は同世代の人々と自然にコミュニケーションをとることができます。

まだ介護なんて関係ない、という人は、趣味のグループに参加するという方法もあります。市区町村の広報誌には、色々な趣味グループのメンバー募集広告が出ています。

例えば麻雀(マージャン)、囲碁、将棋、山歩き、コーラス、民謡、フラダンス、ウォーキング等。どんな人でも、何かしら興味をひかれるものがあります。興味のある分野なら、ひとりで参加しても何となく仲間ができるものです。

そうした集まりに参加することで、無理なく人とコミュニケーションをとれるようになりますし、それが最高の脳トレになります。

脳の神経細胞（ニューロン）はこうして働いている

認知症であってもなくても、若くても年を取っていても、頭は使えば使うほどよくなります。これは脳の研究から導き出された事実です。逆に頭を使わなければ、記憶力も思考力も衰えていきます。若い人でも元気な人でもそうなります。

ここでちょっと神経細胞について説明させてください。

脳はたくさんの神経細胞でできています。この神経細胞のことをニューロンといいます。

細胞というと丸っこい形を想像してしまいますが、ニューロンは樹状突起（じゅじょうとっき）とよばれる枝を広げたヒトデのような形をしています。そして軸索（じくさく）という1本の枝で他のニューロンとつながっています。軸索は情報をやりとりする電話線のようなものです。

図表：神経細胞（ニューロン）の構造

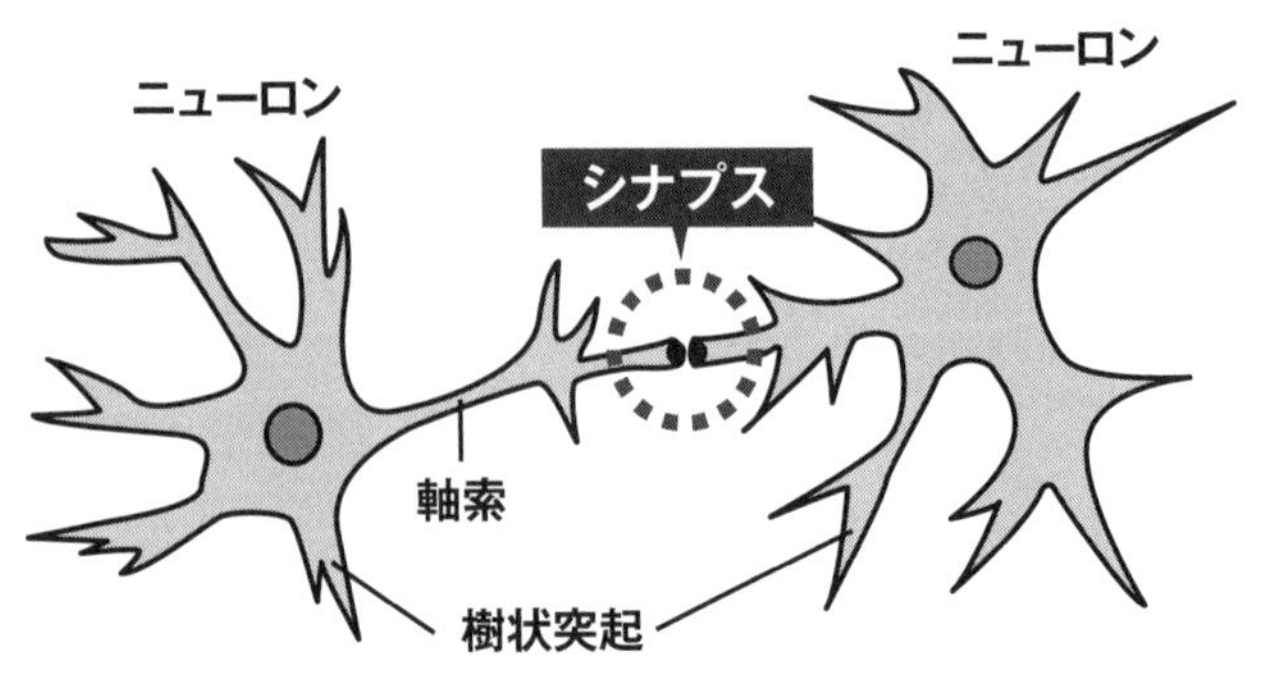

これら情報伝達のつなぎ目になるのがシナプスです。

脳にはこうした脳の神経細胞（ニューロン）が１０００億個もあり、たくさんの枝（樹状突起）とシナプスでつながり、複雑で巨大なネットワークを形成しているのです。

何か新しいことを学習すると、神経細胞からシナプスがどんどん枝分かれして別の神経細胞につながり、新しい回路を作ります。同時に新しく神経細胞が作られ、働くようになります。

頭は使えば使うほどよくなる

新しい回路がたくさんできれば、それだけ情報伝達が早くスムーズになります。「頭の回転が速いね」というのは、そういうことです。

ひとつの細胞には数万個ものシナプスがあり、頭を使えば使うほど神経細胞が増え、シナプスはどんどん神経細胞同士をつなげ、記憶力も思考力も高まっていきます。

反対に脳を使わなければ、使われない回路のシナプスは消えてなくなっていきます。「忘れる」という現象は、その部分の神経細胞とシナプスがなくなったということです。

それを、「年をとった証拠だからしかたがない」とあきらめてしまえば、脳の働きはどんどん低下していきます。健康な人でも認知症の危険性が高まります。軽度認知障害（ＭＣＩ）の人は認知症になりやすくなり、認知症の人は症状が進んでしまいます。

それを防ぐためにも〝脳は使えばどんどんよくなる〟という言葉を励みに、できるだけ神経細胞とシナプスを増やし、脳をなまけさせない、脳を働かせる努力が必要になります。そして日々、発見や驚き、感動、あるいは楽しいこと、大笑いすることを重ねていくことです。頭を使うことを怠けると脳はどんどん衰えていきます。

効果が証明された回想法

本章ではここまで、主に自分でできること、誰かと一緒であっても自らできることを紹介してきました。ここで他の人の助けを必要とする方法もご紹介します。それは回想法といって、昔のことを思い出して話をする方法、思い出話をする方法です。

回想法を実施している施設では、昔の写真や雑誌、本、流行していた曲などを使って、対象者に、当時の体験や思い出を語ってもらいます。グループで行う場合も1対1で行う場合もあります。

グループで行う場合は、司会をする人が参加者に共通の話題になるものを選んで、「その頃、○○さんはどこに住んでいましたか?　ご兄弟は?」という具合に話をふります。ふられた○○さんが「そうねえ、その頃は福岡の博多に住んでいてねえ、上に姉がいて一緒に小学校に通っていたよ」という具合です。グループのメンバーが「私はね…」という具合に自然に話に加わって話が広がる場合もあるでしょうし、司会者が他の人に話をふったり、別の話題をふったりする場合もあります。参加者が若い頃流行(はや)っていた歌をグループで一緒に歌ったり、当時の出来事を話しあったりしていきます。

昔話は、過去と現在をつなぎ、その人が自分の人生を振り返り、自己肯定感を高めることにつながります。また話すこと、誰かと同じ話題で会話することが心の安定につながります。脳にとっても情報整理になり、穏やかな刺激になります。

国立長寿医療研究センターが繰り返し行っている回想法の例では、参加者の多くに認知機能の改善が見られ、この方法の有効性が科学的に証明されました。

施設やグループでの活動でなくても、家族や親しい人、逆に全くの他人であっても、回想法を行うことは可能です。

認知症を予防・改善する食事と生活

食事と健康は密接に関わりあっています。我々の体は我々が食べたものでできているので、毎日何を食べるかで健康状態は変わっていきます。食事で健康状態をよくしていくことは、認知症の予防や症状の改善につながることは間違いありません。

前述の国立長寿医療研究センターは、20年以上にもわたって中高年世代の食事と健康、特に認知症との関係について調べています。

例えば魚、特にＤＨＡやＥＰＡなどの魚の油脂は脳にとって大切な栄養素だといいます。そこで国立長寿医療研究センターでは、魚を意識して摂取することが、認知症にどんな影響を及ぼすかの大規模調査を行いました。それによると血液中のＤＨＡ濃度が高い人と低い人では、10年後の認知機能低下リスクに大きな違いが出ることがわかりました。血液中のＤＨＡ濃度を「高い」「中程度」「低い」に分けると、「低い」人たちに比べ、「中程度」あるいは「高い」人たちの認知機能は下がりにくいという結果になりました。

このことからＤＨＡやＥＰＡなどの魚の油脂は脳にとって必要な成分であり、認知症の予防や改善にとって有用であることがわかりました。

ただし、こうした栄養素を食べても、直接脳に届いて活用されるわけではありません。全て、いったん消化吸収、分解され、脳で再合成されるのです。

日本人は昔に比べると魚を食べなくなったと言われていますが、認知症の予防や改善のためには、魚をメインにした日本の伝統的な食事を見直した方がよいといえそうです。

色々な食品を食べることの意味

魚以外にも認知症の予防や改善にとって役に立つ食事はあります。前述の国立長寿医療研究センターの研究をもう１つ紹介します。

認知機能の低下を防ぐ食事として大切なことは、「色々な種類の食品を食べること」です。なんだ、当たり前の話じゃないか、と思われるでしょうが、認知症にとっては非常に重要なことです。

この「色々な」というのは文字通り色々であり、特定の栄養素を指しているわけではありません。穀類、野菜、肉や魚、豆類などたくさんの種類の食品を偏りなく食べていると、結果として脳にとって有用な魚の油脂も摂取できます。脳はタンパク質より脂質の方が多い組織ですが、脂も動物性、植物性があり、乳製品や肉由来のものもあれば魚由来、大豆や野菜由来のものもあります。

好き嫌いなく、まんべんなく色々な食品を食べていれば、摂取する脂の種類も増え、脳細胞の栄養素としてのバランスもとれます。

どうやって食べるか

色々な食品を食べることで認知機能が保たれるのには、何を食べるかだけでなく、どうやって食事をするか、というライフスタイルに関わっています。

様々な食材を手に入れるには買い物に行かなければなりません。近所のスーパーより駅前の魚屋で買おうかな、とか、買いに行ったけどいいものがなかったから、今日は肉にしようか。そんな具合に柔軟に献立を考えること、料理をすること、創意工夫をすること、食事に興味をもって調べたり、食べ歩いて新しい味を知ることなど、体験全てに関わります。

食べることなんてどうでもいい。口に入ればいい。そうした姿勢だと、脳は食に関して何も考えようとしなくなり、脳神経のシナプスによるつながりが切れていくかもしれません。

最近は高齢者の低栄養が問題視されていますが、これは年を取ると食に対して興味が薄れるだけでなく、「食べない方がいい。やせている方が健康的だ」という間違った考え方によるようです。

年を取っても食べることに積極的で、あれこれと工夫することが、体と脳の健康にとって重要です。

さらに誰かと一緒に食事をすれば、コミュニケーションが生まれ、脳にとって大変有意義です。

何を食べるかだけでなく、どう食べるか、食べ方を工夫することが認知機能の低下を防ぐと考えることができるわけです。

基礎疾患を予防・改善する

認知症は中高年で発症することから、認知症以外の基礎疾患にも目をむけるべきでしょう。認知症に関わる基礎疾患とは、例えば糖尿病、高血圧、脂質異常症など血管と血液に関連した生活習慣病です。

まず糖尿病ですが、特に2型糖尿病にかかっている人は、認知症にかかる確率はそうでない人の2倍以上といいます。なぜでしょう？　鍵を握るのは、インスリン分解酵素です。インスリン分解酵素は不要になったインスリンを分解するのですが、アミロイドβも分解します。糖尿病になりインスリンの量が増えると、インスリン分解酵素がインスリンの分解で手がいっぱいになってしまうため、アミロイドβの分解には手が回らないのです。これが、糖尿病になるとアルツハイマー病のリスクが高まる理由のひとつと考えられます。

したがって2型糖尿病、あるいは糖尿病予備軍の方は、食事から摂取する糖分をコントロールし、血糖値を下げて正常値にすることが認知症の予防、改善につながります。

次に高血圧と脂質異常症。いずれも脳血管性認知症の危険因子です。

脳血管性認知症は、脳の血管が詰まったり破けたりすることで発症しますが、どこの血管が傷つくかによって、損なわれる認知機能に違いが出てきます。また一度血管に大きなトラブルが起きたということは、他の血管も既に動脈硬化を起こしている可能性が高いので、その後も血管のトラブルを繰り返すことが多くなります。

高血圧や脂質異常症は、血圧や血管の状態、血液の状態を健康な状態にすることで改善することができます。そうすれば脳血管性認知症も予防できますし、万一発症しても治療法はあります。再発防止とリハビリに取り組めば、ある程度の機能の回復が可能です。

要注意の嗜好品。口に入れないほうがよいもの

◎アルコール

お酒の飲みすぎが認知症の原因になることをご存じでしょうか。アルコール性認知症といって、若い人でも発症する病気です。

アルコールは、そのもの自体に毒性があり、血管や肝臓の細胞を傷つけます。脳においては脳梗塞や脳出血を起こしやすくなりますし、アルコールを代謝するためにビタミンB_1が大量に消費され、ビタミンB_1欠乏症から認知障害を起こすなど認知症の症状が出る人もいます。またアルコールによって脳が萎縮する現象もよく見られます。

アルコール性認知症は多量の飲酒が原因ですので、認知症以前にアルコール依存症であることがほとんどです。ですので治療には、断酒によるアルコール依存症の克服が欠かせません。

◎塩分

塩分は血圧を上げる最大要因です。高血圧は血管に傷をつけるため、認知症のリスクファクターとなります。塩分は控えめに。味付けもそうですが、過剰摂取になりやすい汁物や麺類は食べる回数を減らすことで減塩につながります。認知症の予防や改善にとっても減塩は大切です。

◎タバコ

タバコは「百害あって一利なし」と言いますが、認知症にとっても同様です。タバコの煙に含まれるニコチンやタールは血管を傷つけ、動脈硬化の原因になります。脳の血管に対しても同様なので、脳血管性認知症のリスクが高まります。
WHOは、喫煙と認知症には強い相関があり、喫煙が多ければ多いほど発症の危険が高まるとしています。

また喫煙者が認知症になると、タバコの火の不始末による火事の危険があります。認知症の予防・改善以前に、安全のため禁煙した方がいいでしょう。

睡眠

睡眠と認知症とは深い関係があります。充分な睡眠がとれていない人は認知症になりやすいといいます。なぜでしょう。充分な睡眠がとれないと、うつ病になりやすく、うつ病になるとストレスホルモンのコルチゾールが放出され、これが脳の神経細胞を殺すため、認知症が発生しやすくなるからです。ですから良質の睡眠をたっぷりとることが、認知症の予防と改善にとってきわめて大切なのです。

寝ている間、脳は大忙し

脳は、我々が眠っている間、日中の活動の後処理や大掃除で大忙しであることをご存じでしょうか。

まず学習や記憶を担う海馬では、日中インプットされた情報の整理が行われます。海馬は短期記憶の保存庫なので、今日見たこと、聞いたこと、体験したことが記録されています。これらの情報を仕分けして、必要な情報を分類し、大脳のそれぞれの領域に移動して保存します。長期に覚えておく記憶なので長期記憶というわけです。

海馬は不用な記憶を消去します。この時、不用な記憶を伝達していた脳のシナプスは消滅すると考えられています。海馬がこのような記憶の取捨選択を行うのは睡眠中であり、それによって脳内の情報が整理されるわけです。

また睡眠中の脳では様々なホルモンが分泌され、全身の健康維持をはかっています。例えば成長ホルモン、別名若返りホルモンが分泌されるのは寝入りばなです。このホルモンは、子どもでは骨や筋肉の発育を促しますが、大人では体の細かい組織の損傷を修復したり、細胞の新生を促したりします。脳の神経細胞が壊れていく認知症の予防と改善にとって重要なホルモンです。

あるいは睡眠中ずっと分泌されているメラトニン。このホルモンは強力な抗酸化作用があり、細胞の損傷を防ぎます。また睡眠と覚醒のリズムを調整しています。

このように脳は、我々が寝ている間、整理整頓とメンテナンスで大忙しです。

認知症の原因物質が、睡眠中に洗い流されている!

ボストン大学のローラ・ルイス博士の研究チームは、人間の脳が睡眠中に老廃物や毒素を取り除くメカニズムを明らかにしました(2019年10月31日付け、雑誌『サイエンス』に発表)。この研究は、現在行き詰まりつつあるアルツハイマー型認知症などの認知症の治療と予防に、新たな地平を切り開いたとして注目されています。

2013年、マウスの実験で、眠っている間にアルツハイマー型認知症の原因物質アミロイドβなどの毒素が、脳内から除去されていると報告されました。ルイス博士はこの報告を受けて、人間の脳内でも同じように毒素が除去されるのか、されるとしたらどのように行われるのかを調べました。

調べるといっても生きている人間の脳を解剖するわけにはいきません。ルイス博士らは、被験者に脳波測定キャップをかぶってもらい、ＭＲＩの中で入眠してもらいました。これによって参加者の脳波から睡眠の状態がわかり、また脳内の血中酸素濃度から脳脊髄液がどうなっているかがわかります。

この結果、参加者が深い眠りに入った時に脳脊髄液がゆっくりと動き、脳内から毒素を洗い流すことがわかったのです。

さてこの脳脊髄液が、なぜ動くかが面白いのです。

脳全体が同時にオンとオフを繰り返すことで脊髄液が動く

夜、人が眠る時、眠りはノンレム睡眠（深い眠り）とレム睡眠（浅い眠り）を繰り返しています。人が入眠するとまず最も深いノンレム睡眠に至り、その後少しずつ眠りが浅くなってレム睡眠に変わり、このパターンを一晩中繰り返しています。

ルイス博士の実験では、最初に人がノンレム睡眠に入ると、脳の神経細胞（ニューロン）の活動は、脳全体で同時にオン／オフを切り替えるようになるといいます。

脳の活動、情報のやりとりは電気信号で行われているのですが、これは通常、脳全体ではバラバラに行われます。例えば前頭前野と海馬は別々に活動しているので、電気信号の発し方も別々でバラバラです。

ところが入眠してノンレム睡眠に至ると、バラバラだった電気信号がきれいにそろって同期し、同時にオンとオフを繰り返すようになるというのです。

最初に、すべての神経細胞が静かになり電気信号がオフになると、必要とされる酸素量が減少します。すると脳への血流量が少なくなります。これを合図に脳脊髄液が、脳全体に大波のように大量に流れ込むことが観察されたのです。

脳脊髄液が毒素を洗い流し排出する

さてこの脳脊髄液は、通常何をしているのでしょうか。我々は、何となく、硬い頭がい骨の中に柔らかい脳が浮かび、何かの衝撃でダメージを受けないように緩衝材の働きをしていると思っています。医学事典では他に「脳の水分調整をしていると考えられている」というのが定説のようです。

しかし最近の研究では、脳脊髄液は脳を大掃除する液体であり、脳に付着した老廃物、認知症の原因物質である毒素を洗い流し、最終的にはリンパ管に流れ込んで排出される洗浄液であるという説が有力です。この代謝システムをグリンパティック・システム（グリア細胞とリンパ系を合わせた機能）と言います。

ルイス博士の研究を簡単に説明すると、脳脊髄液は、睡眠中に脳を清掃していて、その流れを作っているのは脳の電気信号のオンとオフだ、ということになります。

この研究結果は、これからの認知症研究にとって大きなヒントになります。最近の認知症治療薬は、アミロイドβに照準を絞ってきましたが、どれも臨床試験で挫折しています。また認知症を引き起こす物質には、脳の神経細胞間の接続を阻害するタウタンパク質もあります。脳脊髄液には、こうした脳内のゴミを全部まとめて一掃する可能性があります。

今後は、こうした研究成果が新たな治療の方向性を示すことになるかもしれません。

良質な睡眠は認知症の予防と改善にとって重要

さてこうした睡眠と脳に関する新しい研究は、認知症の予防や改善にとっても大きなヒントになります。「睡眠不足は認知症の原因になる」というのも、こうした研究結果を知るとうなずけます。

必要な睡眠、良質な睡眠をとらなければ、脳の大掃除は不充分になり、脳神経に付着したアミロイドβのような毒素、ゴミはたまる一方です。たまりにたまった毒素は、少しずつ脳の神経細胞をむしばんでいき、最終的に認知症が発生します。

したがって、認知症の予防と改善のためには、ノンレム睡眠を伴う良質な睡眠が不可欠です。たっぷり充分な睡眠をとって、脳をきれいに保ちたいものです。

また認知症の不安のある人も、ぜひ自分の睡眠を見直し、よい睡眠がとれているか確認するとよいでしょう。よい睡眠は脳の有害物質を洗い流し、脳の神経細胞の再生を促す成長ホルモンや酸化をふせぐメラトニンの分泌にとって欠かせません。

抗認知症サプリメント

抗認知症サプリメント花盛り

最近は、抗認知症サプリメントと言える商品がたくさん市場に出回っています。大手製薬メーカーからも続々とそうした商品が発売され、「もの忘れに効く」「うっかりサプリ」「脳の若返り」など、まさに認知症をターゲットにしている商品がたくさんあります。

高齢化に伴い、認知症患者は増え続けています。日本人の多くが認知症になることをおそれ、そうなったらどうすべきか不安を抱えています。抗認知症サプリメントはそうした日本人の不安に応えるかたちで増えています。

認知症の特効薬は今のところありません。従って認知症と闘ってこれを克服するには、効果的な運動や脳トレなどのリハビリを取り入れ、従来の薬物療法、漢方薬などを含めて、様々な方法を組み合わせた総力戦で立ち向かうほかありません。そうした策のひとつとして、今賑(にぎ)やかなのが抗認知症サプリメントというわけです。

抗認知症サプリメントだけで認知症が治るというものではありません。しかし中には、従来の方法に加えることで、大きく症状が改善する力を持ったものがあります。そうしたものがあるのとないのとでは、認知症の予防や改善に大きな違いがでてくるでしょう。

認知症の薬は、最大に効いても「病状の進行を遅らせる」だけです。服用しても、改善を期待することはできません。

少しでも今よりよくしたい。そのために運動などのリハビリ、脳トレや食事、ライフスタイルの工夫などが盛んなのです。サプリメントもそのひとつです。

抗がん作用ほか多彩な薬理作用の中から選ばれた認知症予防・改善の働き

あまりに抗認知症サプリメントの種類が多いので、どれを選んでいいかわからないという人が多いと思います。

本書はアントロキノノール含有エキスという漢方薬に近いタイプのサプリメントを紹介しています。次章に詳しく紹介しますが、このサプリメントはかなり珍しいカテゴリーに属する製品です。

原材料はベニクスノキタケといって台湾だけに自生する薬用きのこです。昔から様々な病気に効果があるとされる民間薬でしたが、科学的に分析したところ、免疫力の向上や調整、肝臓や腎臓の保護、動脈硬化改善など、具体的な効能が明らかになってきました。

中でも注目されたのが、がんに対する働きです。ベニクスノキタケから抽出されたアントロキノノールという成分は、従来の抗がん剤とは違い、副作用が極めて少なく、免疫力を高め、がんの進行や転移を抑制するなど多彩な働きが認められました。そこでアントロキノノールは、既にＦＤＡ（米食品医薬品局、日本の厚労省に当たる）に抗がん剤として認可申請されています。２０２０年現在、最終段階の臨床試験にさしかかっており、認可は目前といっていいでしょう。

さらに様々な薬理作用の中から、次に注目され、研究が進んでいるのが認知症への働きです。こちらも２０２０年、認知症薬としてＦＤＡへの認可申請が計画されています。

つまりアントロキノノール含有エキスとは、認知症薬としてこれから医療現場の第一線で使われる可能性が高いサプリメントなのです。

アントロキノノールとアントロキノノール含有エキスの違い

ここで誤解のないように説明しておくと、サプリメントのアントロキノノール含有エキスは、今述べた、アメリカで抗認知症薬として認可申請する予定のアントロキノノールとは全く同じものではありません。サプリメントのアントロキノノール含有エキスは、純粋なアントロキノノールを含有し、さらに薬用きのこのベニクスノキタケの様々な薬理成分を含んだものです。ベニクスノキタケと抗認知症薬の間に位置すると言っていいでしょう。

そうすることで抗認知症薬にさきがけてたくさんの人に使ってもらえること、多彩な薬理成分が実際に多彩な健康効果をもたらし、抗認知機能の改善だけでなくQOL(生活の質)の向上につながることがわかってきたからです。

将来アントロキノノールが抗認知症薬として認可されるとして、それまでにはかなりの時間がかかります。ひょっとすれば5年~10年とかかるかもしれません。それでは今まさに軽度認知障害ではないかという人、既に認知症と診断され様々な症状に苛まれている人の助けにはならないのです。

第1章のように、既にサプリメントのアントロキノノール含有エキスを試し、よい経過をたどっている人たちがいます。家族の顔もわからなくなっていたのが、笑顔で子ども達とすごせるようになった人がいます。身の回りのことも人の手を借りなければならなかった人が、買い物をし、お金の管理ができるまでになっています。

これはもっと多くの人に試していただきたい、というのが研究者たちの願いです。

アントロキノノール含有エキスのこれまでの研究の経緯と、認知症に関する研究成果を次章に紹介いたします。

第5章

認知症薬まであと一歩のアントロキノノール。アントロキノノール含有エキスとは何か

アントロキノノールとは何か

アントロキノノールといっても、ほとんどの人は聞いたことがないかもしれません。この物質は、台湾に生息する希少なきのこ、ベニクスノキタケ、学名Antrodia camphorata（アントロディア・カンフォラタ）から抽出された成分です。

アントロキノノールは、以前は全く異なる分野で研究されていました。〝異なる分野〟とは、まずがん治療の分野。これまでにない新しい抗がん剤として研究されてきた物質です。しかも対象となるのは膵臓がんや非小細胞肺がん、肝臓がんなど治療の難しい難治性のがんです。

既にＦＤＡ（米食品医薬品局）に抗がん剤として申請されており、認可を待っている状態です。

一方、アントロキノノールは、がんだけでなく様々な病気の治療薬として注目され、新たな薬理作用について研究が続けられてきました。その新たな対象となる病気のひとつが、本書のテーマである認知症です。

原産国での研究で認知症原因物質の除去作用が観察された

アントロキノノールの素材であるベニクスノキタケは、原産国である台湾で最も研究が盛んです。

台湾の国立大学・陽明大学（医学単科大学）の脳科学研究所の鄭菡若（ていかんじゃく）准教授は、アントロキノノールの開発会社と共同研究を行い、「アントロキノノールは、アルツハイマー型認知症を起こす原因物質とされるアミロイドβの蓄積を改善し、空間認知能力、学習能力、記憶力を改善する」とする論文を発表しました。２０１５年、その論文は権威ある学術誌『Nature（ネイチャー）』の関連誌である『Scientific Reports』に掲載されました。

少し専門用語が多い論文ですがご紹介しましょう。

その研究はマウスを使った動物実験によって行われました。こうした実験に使われるマウスは、アルツハイマー型認知症を発症するように遺伝子操作することによって作製されました。認知症マウスと言ってもいいでしょう。

実験では、このマウスが認知症を発症する前にアントロキノノール含有エキスの投与を開始すると、この病気の原因物質とされるアミロイドβの蓄積を抑制すること、さらに脳の神経細胞の酸化や炎症を低下させることによって、マウスの空間認知能力、学習能力、記憶力の低下を遅らせることがわかりました。

もう少し詳しく説明すると、こうです。認知症マウス（発症前）にアントロキノノールを投与すると、脳の神経細胞の中で、酸化を防ぐ働きをもつＮｒｆ２というタンパク質が増えることがわかりました。Ｎｒｆ２タンパク質は、遺伝子の発現をコントロールする転写因子です。このタンパク質が、学習能力や記憶力を低下させ炎症を増悪させるサイトカインであるインターロイキン６（ＩＬ－６）やインターロイキン１β（ＩＬ－１β）の遺伝子の発現を抑えました。この結果、アントロキノノール含有エキスを投与した認知症マウスは、含有エキスを投与しなかった認知症マウスにくらべ、空間認知能力、学習能力、記憶力にすぐれ、脳内ではアミロイドβの蓄積も少ないことが判明しました。

動物実験ではありますが、アントロキノノールは認知症の症状を軽減し、その発症を防ぐ可能性が示唆されたのです。

アミロイドβの減少を画像で確認

次ページの写真は、アントロキノノールを投与した認知症マウスの神経細胞の写真です。

まず上の図は脳の海馬の神経細胞の写真です。左からアントロキノノールを投与しない神経細胞（対照）、アントロキノノール低用量投与の神経細胞、一番右がアントロキノノール高用量投与の神経細胞です。アントロキノノールを投与した認知症マウスの神経細胞は、アミロイドβが薄くなっています。

下の図はＧＦＡＰ染色といい、アントロキノノールを摂取した認知症マウスの海馬

**図表：アントロキノノールが認知症マウスのアミロイドβと
アステオグリオーシスを減少させた。**

チオフラビンS 染色

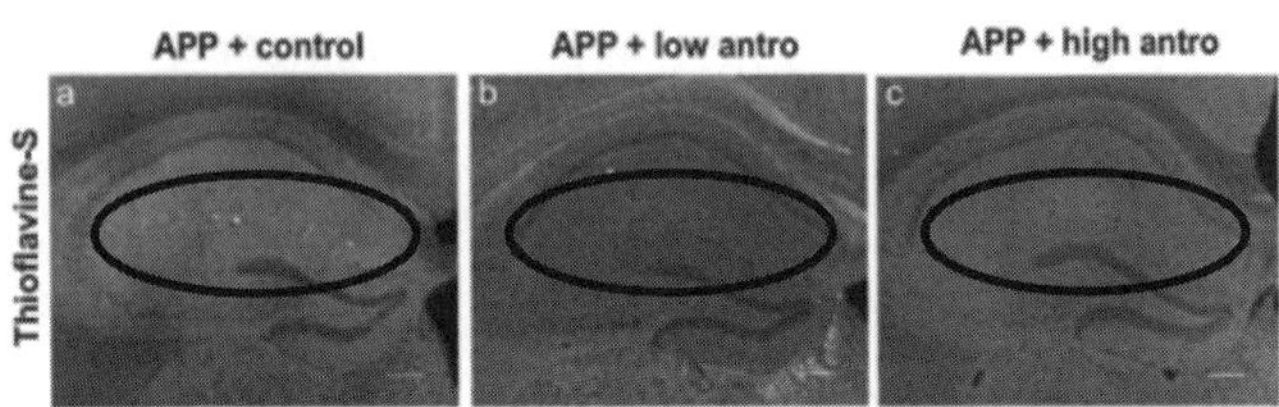

低用量と高用量のアントロキノノール投与群とも海馬のアミロイド瘢痕を低下させることがわかります。

GFAP 染色

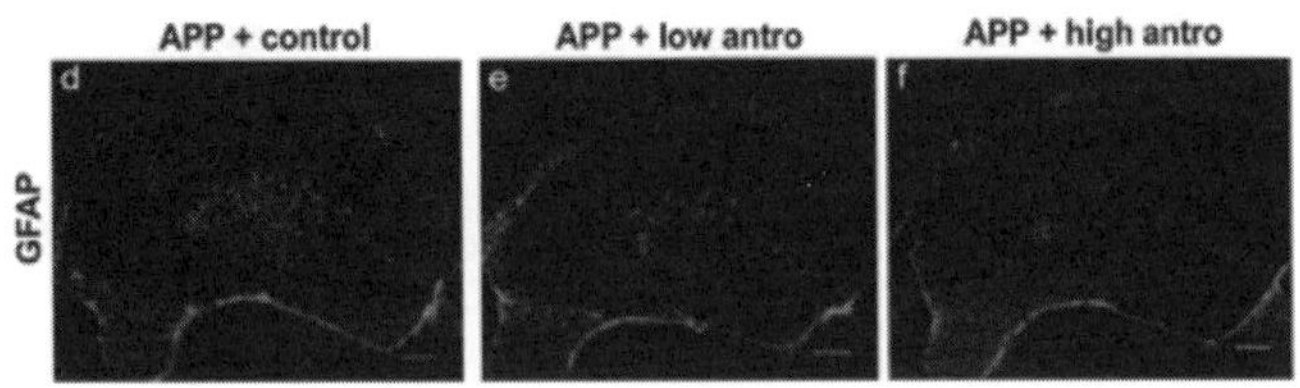

低用量と高用量のアントロキノノール投与群ともに認知症マウスのアステアグリオーシスを減少させた。

において、グリア線維酸性タンパク質（GFAP）の発現が減少したこと、すなわち、アストログリオーシスが顕著に減少したことを示します。

脳内でグリア線維酸性タンパク質の発現が増えると、神経細胞に栄養を与えるアストロサイトの異常増殖が起こります。これをアストログリオーシスといいます。アストログリオーシスが盛んになると、脳内で炎症が起こり、アルツハイマー病を含む多くの神経変性疾患を引き起こします。

本研究において、アントロキノノールを投与された認知症マウスは、投与されてない認知症マウスにくらべ、海馬におけるグリア線維酸性タンパク質の発現が減少していたことから、アストログリオーシスの減少が確認されました。したがって、アントロキノノールを投与された認知症マウスの脳は、認知能力の低下を免れたと考えられます。

アメリカの製薬会社主導の実験でもすぐれた効果を証明

アントロキノノールは現在のところサプリメントです。アントロキノノール含有エキスとは希少成分アントロキノノールを含有したエキスという意味です。ただし将来アントロキノノールは、認知症の薬として臨床現場で使われる日がくるかもしれません。次に紹介する動物実験の報告（2019年秋）を見ると、その可能性が感じられます。

アントロキノノールの開発会社は、アメリカの製薬会社ジョンソン&ジョンソン社の協力を得て、国際的な認知症治療薬の研究を開始しました。それは前述の動物実験とほぼ同じ内容ですが、新たにオーストラリアのクイーンズランド工科大学のリン・グリフィス教授の下で行われたものです。研究全体はFDAの指導方針に従って行われました。

この実験に使用されたのは、前述の実験同様、遺伝子操作などで認知症を実際に発症したマウスです。

このマウスにアントロキノノールを投与したところ、神経細胞に凝集していたタウタンパク質やアミロイドβなどが減少したこと、またインターロイキンや腫瘍壊死因子といった炎症性サイトカインが減少したことが観察されました。

認知症マウスの学習能力、記憶力を回復させ認知機能を改善!

アントロキノノールの薬理作用は、認知症マウスの神経細胞の状態を改善するにとどまりません。驚くべきことに、アントロキノノールを投与された認知症マウスは、迷路や水路など学習能力や記憶力などの認知機能を調べる試験で、普通のエサのみを与えられた認知症マウスに比べ、好成績を示したのです。

この結果は何を意味するのでしょうか。アントロキノノール含有エキスは、認知症マウスの神経細胞から病気の原因物質を取り除いただけでなく、認知機能の回復を助けたことを意味しています。

もちろんこれはマウスによる動物実験です。同じことが人間にもあてはまるかどうかはわかりません。しかしその可能性を感じさせます。

これまで認知症の薬は、病気の進行を抑える、あるいは進行を遅くするのが精一杯でした。しかしアントロキノノールには、それ以上の働きがあるかもしれないのです。

ＦＤＡに認知症薬の申請を予定中

アントロキノノール含有エキスの開発会社は、以上の研究結果を受けて、ＦＤＡに第2相臨床試験の申請を予定しているとのことです。対象となるのはアルツハイマー型認知症と診断された患者で、二重盲検試験（※1）が行われます。

第2相試験（フェーズ2）とは、少人数（数十人）の、比較的軽い症状の患者を対象に、薬の有効性を調べる試験です。第1相試験は薬の安全性を調べる試験、第3相試験は大人数の患者を対象にした有効性の試験です。

アントロキノノール含有エキスは、既に「血液脳関門を通過(※2)すること」「高い抗炎症効果」「肝臓の代謝機能を高める」「動脈硬化の軽減」といった試験でも顕著な効果があることが証明されています。

これまで世界の多くの製薬メーカーの抗認知症治療薬が、第2相、第3相臨床試験で失敗し撤退しています。アントロキノノールの抗認知症薬は、こうした実情をふまえての抗認知症薬の申請であり、大いなる期待が持てます。

(※1)二重盲検試験……被験者は本当の試薬と偽薬のどちらかが投与されるが、どちらであるのか被験者本人も投与する試験官もわからないように行う試験のこと。薬の効果や反応に、暗示や期待など薬以外の影響が出ないようにするために行う臨床試験。

(※2)血液脳関門を通過……血液脳関門とは、脳にとって有害な物質が脳内に侵入するのを防ぐしくみのこと。脳血管の毛細血管の内膜にあるとされている。このしくみのために、新薬が脳に届けられないなどの不都合も起こる。血管脳関門を通過するということは、脳で機能しうるということを意味する。

医薬品にする前にサプリメントとして提供する理由

アントロキノノールの認知症に対する薬理作用について述べると、多くの人は「そんなに効果があるのなら、なぜ薬にしないのか」と思うかもしれません。

もっともです。実際に今紹介したように、アントロキノノールの医薬品としての認可申請は進行中です。

「それなら、薬になるのを待つ。健康保険がきけば使いやすい」

それもわかります。

ただしアントロキノノールがＦＤＡで抗認知症薬として正式に認められたとしても、それが実際に臨床現場で使われるまでには何年もかかるでしょう。さらに日本で使われるには、日本人を対象とした臨床試験を経て、厚労省の認可をとらなければなりません。それまでには、さらにどれだけ時間がかかることでしょう。

一般に医薬品がその効能を認められて認可を受け、実際に臨床現場で用いられるには長い時間と莫大な費用がかかります。薬にもよるでしょうが、仮に抗がん剤だとすると10年以上の時間と数百億円という莫大な費用がかかると言われています。

ある製薬会社の人が言うには、「医薬品申請にかかる時間と費用を考えると、申請した後、ただ漫然と結果を待っているわけにはいかない。それ以前にサプリメントとして市場に出して、実際に使ってもらった方がいい」。

現在、アントロキノノールがサプリメントとして使われているのには、こうした現実的な背景があるようです。

酸化ストレスを防ぐ強力な作用

アントロキノノールには様々な薬理作用があると紹介してきましたが、その根本にあるのは酸化ストレスを防ぎ、炎症を抑制する働きです。

図表：酸化ストレスの発生源

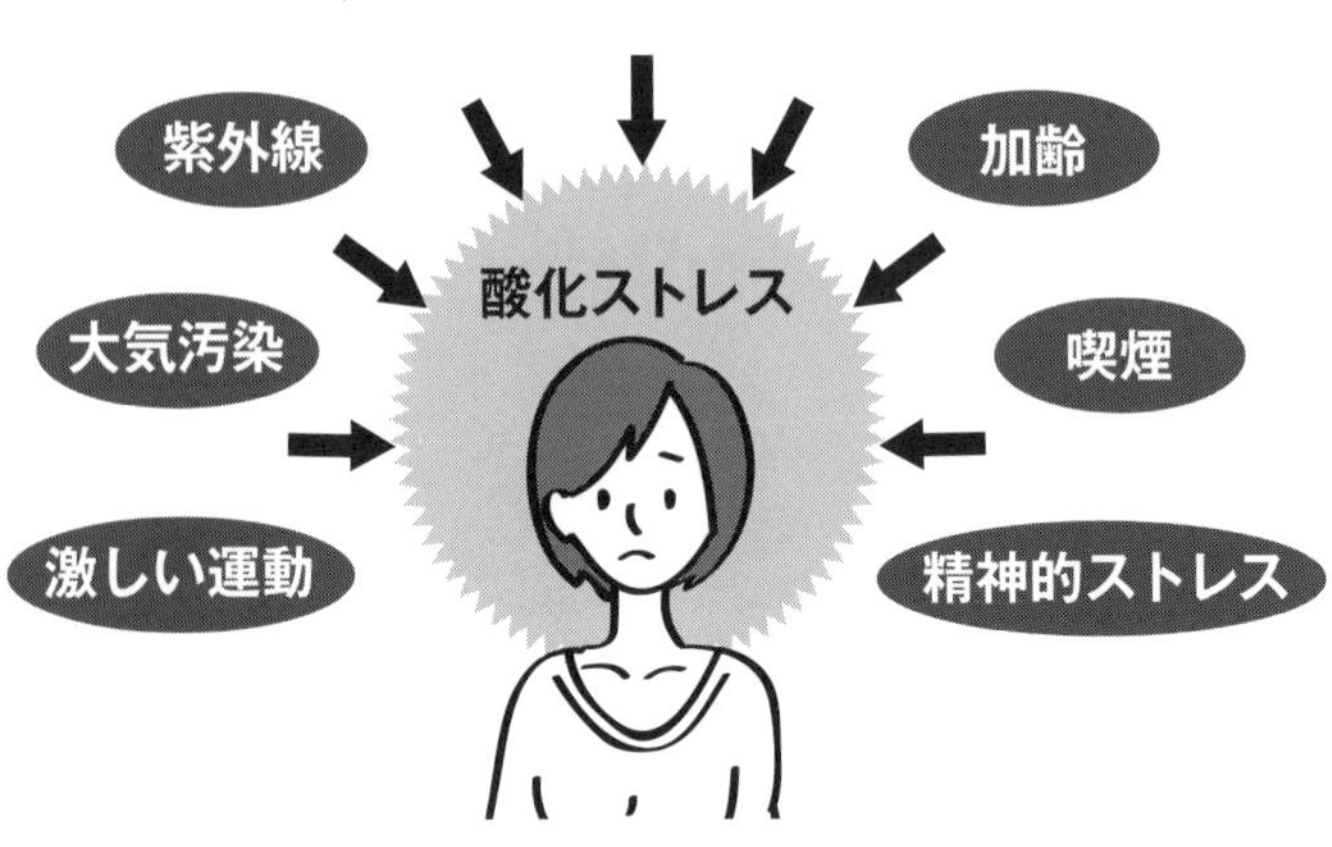

まず酸化ストレスとは何でしょう。それは、我々の体の中で活性酸素が発生して、細胞の核酸、タンパク質、糖質、脂質などを酸化させ、傷つけることを指します。活性酸素は、酸素のあるところには必ず発生します。ある程度の活性酸素は必要なのですが、多すぎると細胞を破壊し、病気や老化を促進します。

認知症においては、脳の神経細胞においてまさに酸化ストレスが発生し、大きなダメージを引き起こしているわけです。

我々の体の中で酸化ストレスに最も弱いのは脳です。さらに脳は、活動するのに多量の酸素を必要とするため、たくさんの活性酸素を発生させてしまうのです。

酸化ストレスの軽減は脳の老化の予防戦略になります。我々の体には、こうした酸化ストレスによる傷を回復するしくみ＝抗酸化作用があります。例えばカタラーゼ、スーパーオキシドディスムターゼ（ＳＯＤ）、ペルオキシダーゼなどの酵素がそれです。しかし加齢や体質、生活習慣、遺伝的な要因などによってその働きが充分ではなく、神経細胞の損傷をまねくことも認知症の一因だと考えられています。

アントロキノノールは、体内の抗酸化作用を強化し、神経細胞を酸化ストレスから守る働きを持っています。酸化ストレスがなくなれば神経細胞の傷は回復し、正常な状態に戻ることが可能になります。

炎症性サイトカインの発生を阻止する

最近は、コロナウイルス肺炎の話題で、炎症性サイトカインという専門用語を普通に耳にするようになりました。炎症性サイトカインとは、免疫細胞が異物や病原体を攻撃する時に放出する銃弾のようなものです。代表的なものにインターロイキン1（IL－1）やインターロイキン6（IL－6）、腫瘍壊死因子（TNF）などがあります。これらは異物や病原体に激しい炎症を起こすため、炎症性サイトカインと呼ばれています。

炎症は免疫反応の一種なので、異物や病原体に対しては必要なのですが、健康な細胞も傷つけてしまいます。時にはそれが命に関わることもあります。コロナウイルス肺炎においても、この炎症性サイトカインの攻撃で全身の血管が損傷するサイトカイン・ストームと呼ばれる現象が話題になっていました。

認知症の脳においては、アミロイドβの蓄積は有害です。ですからアミロイドβは免疫による攻撃対象となります。脳内で免疫細胞（脳ではミクログリアという細胞が免疫を担う）が炎症性サイトカインを大量に発生させると、アミロイドβだけでなく正常な神経細胞が傷つき、死んでしまうのです。

アントロキノノールは、炎症性サイトカインの過剰な攻撃にブレーキをかけることで、神経細胞を守ります。

神経細胞を守ることで認知機能の回復を助ける

アントロキノノールの働きを簡単にまとめると、まず脳神経細胞で起こる酸化ストレスを抑えて損傷を防ぐこと、そして炎症性サイトカインの過剰な攻撃を阻止することが挙げられます。

注目してほしいのは、いずれにしてもアントロキノノールは、脳の神経細胞を守るということです。有害なアミロイドβやタウタンパク質を攻撃して除去するのではなく、あくまで細胞を守ります。

そうすることで、脳の神経細胞は自ら傷を治し、回復することが可能になります。回復すれば再び脳は認知機能を取り戻し、学習し、記憶することができるようになると考えられます。そう考えれば、本書第1章でご紹介した人々が、なぜ回復したのかが説明できます。

かつて脳の神経細胞は、いったん死滅すると二度と再生しないとされてきました。仮に病気の進行が止まっても、失われた認知機能は回復しないことになります。しかし第1章に登場した方達の中には、できなかったことができるようになった人がいます。提供された情報の範囲ではありますが、病気になる前に近い状態にまで回復している人がいます。

やはりこうした人々の脳では、神経細胞が再生し、再び機能を取り戻していると考えるのが自然ではないでしょうか。

ただ、脳の各組織には非常に柔軟な代替機能があって、失われた脳の組織に代わって、他の部分がサポートするケースがあります。この人々がそうだった、という可能性もあります。

いずれにしても、これまでのアントロキノノールの研究成果は、認知症という難病の患者にとって大きな希望になるものです。

アントロキノノールはこうして生まれた

本章のはじめに少し述べましたが、まずアントロキノノールが何であるかを紹介します。

アントロキノノールとは、台湾に生息する希少なきのこ、ベニクスノキタケ（牛樟芝）、学名Antrodia camphorata（アントロディア・カンフォラタ）から抽出された成分です。このきのこは、薬用きのこの代表格であるサルノコシカケ科で、世界で唯一、台湾にだけ自生しています。

牛樟樹（クスノキの一種）の虚（幹にできた空洞）の中に寄生し成長するキノコで、扇を広げた紅色の姿は「森の宝石」とも呼ばれていたそうです。

このキノコは古来、台湾の人々にとって重要な薬用生物でした。薬理作用としては食中毒、下痢、嘔吐(おうと)、尿毒症などの解毒作用や鎮静・抗菌作用、がん、肝硬変、リウマチ、胃痛、糖尿病等、ほぼ万能とされていたようです。

薬理成分は非常に多彩で、抗がん作用で知られるβグルカンをはじめとする多糖類のほか、抗炎症作用を持つトリテルペン類、鎮静効果や血圧降下作用のあるGABA、骨を丈夫にするエルゴステロールなど様々な成分が含まれています。

こうした薬理成分を求めて一時は乱獲され、台湾では絶滅寸前となったことから、現在は台湾政府によって厳重に保護されています。台湾政府にとって非常に貴重な生物資源であることは間違いありません。

1000kgの菌糸体からわずか1ℓ(1kg)。凝縮されたエキスから発見された物質アントロキノノール

ベニクスノキタケというきのこは今や絶滅の危機にあり、野生のものは、乱獲を防

ぐため採集が厳しく規制されています。わずかに採集されたものは1kg200万円という途方もない値段がついており、もはや誰もが使える民間薬ではありません。

そこで台湾の製薬メーカーは、独自の製法でこのきのこ(菌糸体)を培養し、有効成分を取り出すことに成功しました。その方法とは次のようなものです。

まず、きのこの菌糸体を、穀物などの固体培地で約3か月かけて発酵させます。固体培養法という方法です。こうして最初にできた菌糸体を、今度は低温凍結乾燥(フリーズドライ)すると、菌糸体ははじめの5分の1の量になります。こうしてでき上がったベニクスノキタケ菌糸体の粉末から、今度はさらにエキスを抽出し、さらに凝縮していくのです。

最初に培養したベニクスノキタケ菌糸体を1000ℓ(1000kg)とすると、低温凍結乾燥し粉砕された粉末は200kg、ここで5分の1になります。次に、この粉末から独自の製法でエキスを抽出し10分の1の20ℓまで凝縮します。この20ℓは、いわばベニクスノキタケのエッセンス、有効成分そのものです。

そして、この20ℓから発見されたのが、希少成分アントロキノノールです。

研究チームはこの20ℓから、βグルカンやトリテルペン類等を取り除いてみました。そうして、100%純粋なアントロキノノールのみを抽出することに成功したのです。こうして取り出されたアントロキノノールはわずか1ℓ。ベニクスノキタケ菌糸体1000kgのたった0・1%でした。

アントロキノノール含有エキスに含まれる有効成分

ベニクスノキタケの菌糸体を培養して生み出されたアントロキノノールのサプリメントは、前述の100%純粋なアントロキノノールではありません。実はアントロキノノール以外にもβグルカンやトリテルペン類などベニクスノキタケに含まれる貴重な成分が入っています。

アントロキノノール含有エキスに含まれる薬理成分は次の通りです。

抗炎症作用はアントロキノノールだけでなくトリテルペン類にもあります。抗酸化作用はＳＯＤにもあります。１００％純粋なアントロキノノールよりも、多くの人に試してもらうには、あえてこうした成分を含んでいることが重要だと研究者たちは考えています。

●アントロキノノール……抗酸化作用、抗炎症効果、免疫調整作用、動脈硬化改善作用
●βグルカン等の多糖類……高血圧改善作用、血糖降下作用、抗腫瘍作用
●トリテルペン類……血圧降下作用、抗腫瘍作用、抗炎症作用、肝機能向上
●ＧＡＢＡ「ギャバ」……肝機能改善作用、血圧上昇抑制作用
●ＳＯＤ（スーパーオキシドディムスターゼ）……抗酸化作用
●核酸……血行促進、老化防止

これら天然の成分がぎっしり詰まっているからこそ、アントロキノノール含有エキスには、医薬品とは異なる多彩な作用があると主張することができます。それはちょうどベニクスノキタケという生物が持つ生命力のようなものであり、東洋医学で言う

「一物全体」の発想です。様々な体調不良を治す根拠のようなものでもあります。

医薬品のようにひとつの成分でひとつの臓器に一方向に効くのではなく、様々な角度から病気全体に働きかける。結果的に効きすぎることなく、ちょうどよい状態になる。天然の生物由来の成分だからこそ、こうしたバランスのよい効果が得られると考えられます。

抗がん作用、肝臓保護機能、腎臓保護機能、動脈硬化改善……多彩な働きの源は〝含有エキス〟ならでは

本書第1章には、アントロキノノール含有エキスを試した方達の報告が掲載されていますが、改善したのは認知機能だけではない人もいます。このことは、前述のように、様々な有効成分を含んだアントロキノノール含有エキスだからこそではないかと思われます。

アントロキノノールの原材料であるベニクスノキタケは、かつては食中毒などの解毒、鎮静・抗菌作用、肝臓や腎臓の保護、胃痛、糖尿病の改善など、さまざまな病気や体調不良によいとされる万能の民間薬でした。

今日、それを科学的に分析すると、どの成分がどのように働いて、どんな病気や症状を改善するか、という薬理作用が明らかになってきたのです。となれば、目的とする薬効に応じて、必要な成分を選んで加工することもできます。

例えば、これをがんなどの難病の薬にするには、アントロキノノールのような希少成分を抽出し、濃縮し、効き目を強くしていく必要があります。そのためには、残念ながら、βグルカンやSODなど、他の成分は除去してしまうことになります。よりシャープな効果を得るためにはいたしかたないことです。こうしてアントロキノノールの抗がん剤は作られたと考えられます。

しかし、サプリメントとして、広くたくさんの人に使ってもらうためには、あえて様々な成分を残した方がいい場合があります。全身の様々な部分に効いて、全身によい効果をもたらすことにつながることがあるからです。

こうして生まれたアントロキノノール含有エキスは、薬のアントロキノノールとは少し違う、どんな人が使っても健康効果を発揮するサプリメントになっていると言えそうです。

動物実験、ヒト対象試験で確かな安全性を確認

サプリメントは薬ではありませんが、人が口にする以上、安全性は何にもまして重要です。

アントロキノノール含有エキスは日本国内で専門機関に依頼し、安全性試験は徹底して行っています。その結果は次の通りです。

●28日間動物毒性試験

マウス及びビーグル犬の最大耐用量試験

マウス及びビーグル犬に対し、28日間、容量漸増法でアントロキノノールを投与し

ました。結果は、投与量が30mg／kgから100mg／kgまで、毒性はみられませんでした。

●90日間動物毒性試験

マウス及びビーグル犬に対し、90日間、アントロキノノールを反復投与しました。結果は、投与量が30mg／kgから100mg／kgまで、いずれにも全身毒性はみられませんでした。

遺伝毒性試験においても、突然変異、染色体損傷、染色体異常はありませんでした。また安全性薬理試験においても異常はみられませんでした。

●90日間反復経口投与によるヒト安全性試験

健常な被験者31名に対して、アントロキノノールを朝、夕、90日間経口投与しました。結果は、被験者の生化学検査値には全く影響がみられませんでした。唯一トリグリセリド（中性脂肪）の低下がありました。

これまで行った細胞、動物、ヒト臨床試験において毒性、異常といった事例はみられませんでした。安全性において問題がないと考えていいでしょう。

２０１３年９月30日、アントロキノノールの開発メーカーは、日本の厚労省に「固態培養ベニクスノキタケ（アントロディア カンフォラタ）の菌糸体」の各種安全性、有効性の資料を提出し申請。結果、ベニクスノキタケは「非医薬品リスト」に追加されました。

このことは、開発メーカーが、ベニクスノキタケを日本に持ち込むに当たって、必要な法的な手続きをきちんと踏み、厚労省も原材料としてのベニクスノキタケの安全性を認めたことを意味します。「非医薬品リスト」に追加されたことで、原材料として日本に持ち込みが正式に認められたのです。安全性は保証されています。

こうした研究や安全性への取り組みがあって、これまで多くの方々がアントロキノノール含有エキスを使用していますが、副作用などの報告は全くありません。どんな方にも安心して使っていただけると言えるでしょう。

間違いなく選択するために

前項でも述べたとおり、2013年に厚生労働省に安全性が認められ、日本でも多くの方がアントロキノノール含有エキスを利用するようになりましたが、いいものが普及すると、類似のものが出てきて、利用者を混乱させてしまうことになることもあるようです。

せっかく各種の安全性や有効性が科学的検証によって明らかになったアントロキノノール含有エキスにおいても、少しだけ名称を変えたような成分名を語る、全く異なるものが出てきてしまうのは、とても残念なことです。利用者がそれと混同して間違ったものを利用することは避けなければなりません。

そのためにも、成分を常に確認し、信頼できるルートから入手するということは、利用者としては〝肝に銘じて〟実践しなければならない事柄でしょう。インターネット上で検索すれば簡単に出てくることはたくさんありますが、たくさんある中で見極めるのは容易ではありません。アントロキノノール含有エキスはさまざまな検証を経て日本に普及した唯一のものですので、インターネットだけではなく、信頼おけるところに電話で問い合わせるなどして、本来のものを選択することが重要です。

第6章

アントロキノノール含有エキスと認知症に関するQ＆A

アントロキノノール（認知症薬）とアントロキノノール含有エキス（サプリメント）について

Q アントロキノノール含有エキスとは何ですか？

台湾のみに自生する薬用きのこ・ベニクスノキタケから抽出された薬理成分から作られたサプリメントです。生のきのこそのものではなく、乾燥、加工を経て製品化されていますが、ベニクスノキタケの薬理成分はもれなく含んでいます。

Q アントロキノノール含有エキスには、どんな成分が入っているのですか？

まず極めて希少な成分であるアントロキノノールが含まれています。それからベニクスノキタケに含まれるβグルカンをはじめとする多糖類、トリテルペン類、GABA（ギャバ、γアミノ酪酸とも呼ばれる）、エルゴステロール、SOD（スーパーオキシドディムスターゼ)、核酸などです。

Q 認知症への効果が期待できるのがアントロキノノールなのであれば、他の成分はいらないのではないですか?

他の成分にもたくさんの薬理作用が期待できます。例えば、多糖類のβグルカンは薬用きのこの働きを代表する物質で、免疫力を高めることが知られています。免疫力は認知症であってもなくても重要です。トリテルペン類には抗炎症効果、SODには高い抗酸化作用があります。これらはアントロキノノール同様の働きであり、共存することでさらに強化できる可能性があります。GABAは脳神経をリラックスさせ、睡眠の質をよくしてくれます。エルゴステロールには抗腫瘍効果があり、核酸は生物のDNAの本体になる物質です。いずれも健康にとって欠かせない物質です。

アントロキノノール含有エキスは、アントロキノノールという純粋な成分とは違い、ベニクスノキタケという生物全体のエネルギーというか、生命力のような力を持っていると考えることができます。東洋医学における「一物全体」の持つ治癒力を形にしたのがアントロキノノール含有エキスというサプリメントです。

Q アントロキノノール含有エキスはベニクスノキタケの菌糸体を加工したものだそうですが、菌糸体とは何ですか。なぜキノコそのものを使わないのですか?

キノコは動物でも植物でもなく「菌類」に属します。キノコは、食用にするカサや軸の部分を子実体、木や土に根付く根っこの部分を菌糸体といいます。菌糸体がキノコ本来の本体であり、この部分に様々な有効成分がぎっしり詰まっています。菌糸体の方が水分も少なく、有効成分が効率よく取り出せるというメリットがあるので、菌糸体を加工しているのです。

Q アントロキノノール含有エキスにはどんな効果があるのですか?

アントロキノノールを使った動物実験では、脳の神経細胞に付着した有害な成分アミロイドβやタウタンパク質など（認知症の原因物質とされる）が減少することがわかっています。

アントロキノノールを投与したマウス（認知症を発症したマウス）は、迷路や水路を使ったテストで、認知機能の回復が観察されています。

アントロキノノール含有エキスも、こうした認知症のおおもとに働きかけることを狙って作られています。

Q 脳は他の臓器と違って異物の侵入を防ぐ特別なしくみがあり、薬でも通過できないことがあるそうです。アントロキノノールはどうなのでしょうか？　脳内に入れるかどうか確かめてあるのでしょうか？

脳の血管にある異物を排除するしくみを「血液脳関門」といいます。この厳重なしくみによって、脳という重要な臓器への異物の侵入が防がれ、正常な働きが守られています。しかし、その厳重さが、多くの薬が脳にたどりつけないという、創薬の難関にもなっています。

その点、アントロキノノールは、血液脳関門をスムーズに通過することが確かめられており、それが抗認知症薬の認可申請においても大きなアピールポイントになっています。

Q アントロキノノールは、いずれ抗認知症薬として認可されるというのは本当ですか？

２０２０年内に、ＦＤＡに、抗認知症薬としての認可申請をする予定です。

現在、認知症の薬として使われているものは4種類（ドネペジル、ガランタミン、リバスチグミン、メマンチン）のみ（及びこれらのジェネリック薬）です。それ以降、新しい薬は生まれていません。これまでＦＤＡに１００を超える新薬の申請がなされていますが、全て臨床試験で挫折しています。

もしアントロキノノールの抗認知症薬の認可が実現すれば、多くの認知症患者やその予備群にとって大きな助けとなるでしょう。

Q アントロキノノールは、いずれ抗がん剤にもなるというのは本当ですか？

アントロキノノールの抗がん剤は、抗認知症薬の新薬申請にさきがけて、ＦＤＡに既に認可の申請をしています。対象となるのは膵臓がん、肝臓がん、非小細胞肺がんなど難治性のがんばかりです。

まだ認可は下りていませんが、その前にＦＤＡより希少疾病医薬品の認定（オーファンドラッグ）を受けています。この認定を受けると、新薬開発にかかる費用に対して経済的な補助が受けられ、ＦＤＡの特別承認による独占的薬品販売権を取得することができます。非常に有利な条件が与えられているということは、そのくらい期待がかけられているといっていいでしょう。

Q アントロキノノールが抗がん剤にも認知症薬にもなるというのは、おかしいのではないでしょうか？

全く違う複数の病気に効く薬はたくさんあります。抗がん剤の中にはリウマチなど自己免疫疾患用の薬を転用したものが複数あります。その逆もあります。

身近な例では、胃潰瘍に高い効き目のあるガスターという薬が抗アレルギー剤として使われています。美容効果が人気のプラセンタは、肝臓や更年期障害の薬でもあります。

何らかの病気治療薬が、その働きを詳しく調べることで他の病気にも効くことがわかり、転用されることは珍しいことではありません。ただし、その際は薬の名称が変わるので、あまり知られていないだけです。

Q アントロキノノールは、どのようにして認知症に効果を発揮するのですか？

アントロキノノールは高い抗酸化作用と抗炎症作用を持っており、それが脳の神経細胞の酸化ストレスを防ぎ、炎症を抑えるためと考えられています。

アントロキノノールを投与すると、マウスの脳内で、神経細胞が活性酸素による酸化作用で傷つくことを防ぐと同時に学習能力や記憶力を低下させる炎症を増悪させる炎症性サイトカインが減少することもわかりました。

Q アントロキノノールが抗認知症薬になるのであれば、それを待ってから使った方が確かではないでしょうか？　健康保険がきけば経済的にも助かります。

確実性という意味では、薬になってからの方がいいと言えるでしょう。ただそれには、これから何年かかるかわかりません。アメリカで認可されて臨床の現場で使われるようになっても、それが日本で使えるようになるのは、さらに日本人を対象とした臨床試験を経てからのことです。かなりの年月が必要になるので、今現在、認知症であったり、軽度認知障害（ＭＣＩ）であるという人には、あまりにも遠い道のりになってしまいます。

Q アントロキノノール含有エキスは、1日にどれくらい飲めばいいでしょう？

アントロキノノール含有エキスは薬ではないので、はっきりした量は決まっていません。1日2～12粒くらいを目安に、朝晩の食後に分けて飲む人が多いようです。反応を確かめながら、自分に合う量を決めていくといいでしょう。

安全性試験の結果では、かなり長期間、多く飲んでも問題はないという結果が出ています。また台湾での臨床試験では、薬理作用と摂取量は正比例する、つまり、多く飲むと効果が上がるという結果が出ています。逆に、病状が安定して飲む量を減らす人もいます。

Q 他の抗認知症薬など、他の薬と一緒に飲んでもかまいませんか？

薬の飲み合わせは常に気をつけなければならない問題です。

アントロキノノール含有エキスは、これまでどのような薬と一緒に摂取しても、特に問題は発生していません。これまで厚労省や関係省庁、関連団体から、アントロキノノール含有エキスが要注意食品として指摘を受けたこともありません。従って、他の薬と一緒に摂取しても問題ないと考えられます。

Q アントロキノノール含有エキスは安全性において問題はありませんか。自然の物質だとしても、農薬や有害金属などの汚染や添加物の問題はないでしょうか。

アントロキノノール含有エキスは、厳密なヒト安全性臨床試験をクリアしています。

残留農薬検査、重金属検査、急性毒性試験、変異原性試験（Ames 試験）、染色体異常試

験、小核試験、亜急性毒性試験なども全て問題なし、異常なしという結果が出ています。必要と考えられる安全性試験は全てクリアしています。

また、アントロキノノール含有エキスの製造メーカーが、各種安全性、有効性の資料を提出、申請した結果、2015年5月4日、「固態培養ベニクスノキタケ（アントロディア カンフォラタ）の菌糸体」が厚労省の「非医薬品リスト」に追加されました。このことは、アントロキノノール含有エキスが、安全性において問題のない食品であると認められたことを意味しています。安心して服用していただけるものと考えられます。

Q 現在、たくさんの認知症サプリメントがあります。自分に適したものはどうやって選べばいいのでしょうか？

どのようなサプリメントも、必ず確認すべきなのは安全性です。いくつもの安全性試験を行い、その結果を表示しているかどうかを確認する必要があります。また、とにかく派手な宣伝をしていて、「これだけで認知症が治った」などというような商品は、それだけでマユツバです。

効果があるとするなら、その科学的根拠を調べ、どのような研究がされているか、研究論文が専門的な学術誌に掲載されているか、実験は動物実験か、試験管レベルか、人間に対する臨床試験が行われているかなどを調べましょう。

本書でご紹介しているアントロキノノール含有エキスは、原材料から研究プロセスまでほぼ全て明らかにされており、数多くの研究が繰り返されてきたことがわかります。

何より同じ原材料から抽出されたアントロキノノールは、抗がん剤としてＦＤＡに認可を申請中であり、抗認知症薬としてもＦＤＡに認可申請される予定です。抗認知症サプリメントとして、これほど信頼性の高いものは他にないと言っていいでしょう。

認知症や軽度認知障害について

Q 年を取るとどうしてももの忘れが多くなります。これが認知症の始まりなのか、年相応のもの忘れなのか、区別はつくのでしょうか?

例えば、「今朝、朝ご飯に何を食べたのか忘れる」のは年相応のもの忘れ、「朝ご飯を食べたこと自体を忘れる」のは認知症の疑い、と言われています。

食事のメニューは、ちょっとヒントをもらえば思い出せるレベルであれば、まず問題ありません。「ほら、今朝はパン食だったでしょ」「そうそう、トーストと目玉焼きだった」という具合です。しかし、食べたことが全く思い出せないのであれば、体験自体がインプットできていないことを意味します。記憶する脳の海馬に異常が起きている可能性があるので要注意です。同じことが重なるようであれば、医療機関を受診した方がいいでしょう。

Q 認知症かどうかを診てもらうには、どんな医療機関がいいでしょうか？

必ず専門の医療機関を受診すべきです。かかりつけ医がある場合、そこで相談して神経内科、精神科、脳神経外科、あるいは総合病院のもの忘れ外来などを紹介してもらってもいいでしょう。脳の画像診断を含めた複数の認知症検査を行って、正確に診断してもらう必要があります。

認知機能が落ちる、もの忘れがひどい、イコール認知症ではありません。認知症でなくても認知機能が落ちる病気はいくつもあり、比較的治りやすいものもあります。そうしたものを排除してはじめて正確な診断が可能になります。

Q 治る認知症があるというのは本当ですか？

本当です。突発性正常圧水頭症や慢性硬膜下血腫などがそれです。一見すると症状は認知症のようですが、比較的治りやすい病気です。しかし、高齢でもの忘れなどの症状が重いと、認知症と決めつけられ、きちんと検査もせず認知症と診断されている例が少なくないようです。漫然と抗認知症薬を飲み、病状を悪化させていることもあります。

こうした間違いを防ぐためにも、認知症かなと思ったら専門の医療機関を受診した方がいいのです。

Q 親など親族に認知症の人が多い人は、いずれ認知症になるのでしょうか?

認知症は基本的に遺伝病ではありませんので、親が認知症だから自分もそうなるとは限りません。ただし、親など血縁に認知症が多い場合、その子どもが同じ病気になる可能性は、そうでない人の3倍程度と考えられています。ごくまれですが、認知症全体の2~3%に遺伝性の認知症(家族性アルツハイマー型認知症)もあります。

心配な人は早い時期から予防に努めることです。(認知症になりやすくなる)生活習慣に気をつける、運動習慣を身につける、栄養バランスの良い食事や質の良い睡眠、ストレスをためないといったことを心がけます。簡単に言ってしまえば、健康的な生活を続けることです。

しかし、仕事やライフスタイルによっては、健康的な生活が難しいという人もいます。そうした人は、本書で紹介しているアントロキノノール含有エキスのようなサプリメントを取り入れて補う方法もあります。

Q 認知症は高齢者の病気といいますが、何歳以上だとなりやすいのでしょうか？

65歳以上を高齢者とすると、65歳〜75歳の認知症患者は、その年代の3〜4％程度です。75歳〜79歳になると15％と急増します。また85歳以上は40％以上が認知症と推計されています。従って、年齢で言えば75歳以上が要注意ということになります。

Q 認知症は年を取るとなりやすいといいますが、加齢以外に認知症を発症しやすくなる原因はありますか?

発症しやすい原因として加齢以外に指摘されているのは、糖尿病、高血圧、脂質異常症などの生活習慣病です。中でも糖尿病は、そうでない人に比べて認知症になるリスクが2倍以上とされています。

これらの病気の共通項は「血管を傷つける」ということ。糖尿病は血糖が、高血圧は血流が、脂質異常症は脂質が血管に過剰な負担をかけ、動脈硬化をおこしやすくしています。動脈硬化は脳でも起きているので、脳血管性の認知症になりやすくなるということです。

Q 糖尿病はなぜ認知症になりやすいのですか?

高血糖が動脈硬化をまねき脳血管性の認知症になりやすいことと、脳の神経細胞にアミロイドβがたまりやすくなるためと考えられています。誰の脳でもアミロイドβはたまりますが、健康な血管はこれを取り除いて排出する力があります。糖尿病の血管ではその力が衰えるため、アルツハイマー型認知症にもなりやすいようです。

また糖尿病はインシュリンが少ない、あるいはうまく働かないことが脳にも影響を及ぼして認知症になりやすいという説もあります。糖尿病の症状の1つである低血糖も、脳の神経細胞にダメージを与えるので認知症のリスクになります。

Q アルコールの飲みすぎは認知症になるというのは本当ですか？

本当です。アルコールの過剰摂取で脳の血管が動脈硬化を起こすこと、栄養障害になり脳の神経細胞がダメージを受けること、アルコールそのものの有毒性で脳が萎縮することなど、複数の理由で認知症になりやすくなります。アルコール性認知症は若い人でもなります。

ただアルコール性認知症は、発症して間もない時期であれば、断酒することで改善するると考えられています。

Q 認知症は高齢者の病気なので、若ければ心配しなくて大丈夫ですか？

若くても認知症になる人がいます。65歳未満で発症するのが若年性認知症です。アルコール性の認知症も、特に若い世代に多いようです。また認知症全体では稀ですが、遺伝性の認知症は若い世代に多く、進行も早いようです。

確かに高齢者よりは認知症の心配はしなくてもよいでしょうが、若くても認知症になる場合があるという知識は持っていた方がよいでしょう。

Q 軽度認知障害（ＭＣＩ）は、必ず認知症になってしまうのでしょうか。

そんなことはありません。よく言われているのは「軽度認知障害（ＭＣＩ）の状態で何も手を打たなければ、５年以内に半数が認知症になる」という説です。しかし裏を返せば、半数は認知症にならないということになります。

また、認知症の研究が進むにつれて、軽度認知障害（ＭＣＩ）から正常な状態に回復する可能性は充分あるとする意見が多くなってきました。悲観することはありません。

Q 軽度認知障害（ＭＣＩ）から正常な状態に戻れるのはなぜですか？どんな人が正常な状態に戻れるのですか？

認知症の研究が進んで、徐々にですが、有効な予防法や治療法がわかってきたためと考えられます。長い間新薬が誕生せず、薬物療法にはこれといって変化がないことから、どんな活動をすれば認知機能が回復するかという点が研究され、リハビリテーションに力が入れられています。

軽度認知障害（ＭＣＩ）から回復した人をリバーター（revert＝「戻る」から）と呼びますが、そうした人が大変注目されています。

本書第4章に登場するジャーナリストの山本朋史（やまもと・ともふみ）氏は、軽度認知障害と診断されてから7年間、様々なリハビリに取り組み、認知症検査で正常域に戻っていることがわかりました。自ら試行錯誤し、効果的な方法に積極的に取り組んだことが功を奏したようです。

Q どのようなことをすれば認知機能は回復するのでしょうか?

誰にとっても効果があるとして推奨されているのは運動です。激しい運動ではなく有酸素運動を継続して行うこと。時間的にも毎日10分程度で、無理なく効果を得られるといいます。もちろん30分でも1時間でもいいのです。

有酸素運動とは早歩きのウォーキング、軽めのジョギング、水泳、エアロビクスなど。軽く息が上がる、汗ばむ、本人にとって中程度の負荷を感じる運動です。

もちろん運動経験によって、どのような運動が「中程度の負荷」になるかは人によって異なります。これなら続けられるというレベルの運動をみつけて、継続して行うとよいようです。

ただ、どんな運動でも、ひとりで続けるのは難しいものです。地域のスポーツサークルや自治体主催のスポーツ教室などに参加し、〝誰かと一緒〟に活動するのがおすすめです。もちろん家族と一緒でもＯＫです。

他にも、バランスのとれた食事や、趣味の活動、脳トレ、良質の睡眠など、前向きな生活が認知機能の維持や改善にとって効果的です。

Q 軽度認知障害（ＭＣＩ）は医療機関で治療が受けられますか？健康保険は適用になりますか？

軽度認知障害（ＭＣＩ）の治療に関しては、医療機関によって対応がかなり違うようです。「軽度認知障害は認知症ではないから保険適用の治療はできない」「認知症ではないから保険適用の治療はできないが、10割負担の自由診療なら治療薬を使える」「認知症にまではいっていないが、診断上は認知症ということにして認知症薬を処方する」など、医療機関の方針で変わってくるようです。

受診する時には、あらかじめその医療機関がどのような診療を行っているかを把握してから受診した方がいいでしょう。

Q 軽度認知障害（MCI）の状態でもアントロキノノール含有エキスは有効でしょうか？

認知症は早期発見・早期治療が最も重要です。軽度認知障害（ＭＣＩ）は、認知症の一歩手前、早期のさらにその前という段階です。

アントロキノノール含有エキスは、この時期から試せれば、発症してからよりも効果が高いと言えるでしょう。

しかし、本書第1章を読んでいただくとわかるように、かなり進行した認知症の場合でも、効果が出ている例があります。個人差はあるでしょうが、どんな段階からでも効果がありそうです。

Q 認知症にならないためにはどうしたらいいでしょうか？

認知症は、その原因物質といわれるアミロイドβという物質が、発症の20年も前から脳の神経細胞にたまりはじめると考えられています。仮に70歳で認知症を発症するとすれば、50歳頃から既にそうした状態が始まっていることになります。

予防は早いほど効果的です。50歳以前から食事、運動、睡眠、仕事、趣味などを健康的なものに改め、マイナス要素を1つずつ解消していきましょう。

認知症になりやすくなるとされる、糖尿病、高血圧、などの生活習慣病も、予防・改善すること。また、脳ドックなどで脳の健康状態を定期的に確認することも必要です。

今日、抗認知症サプリメントは花盛りで、著名な製薬会社からも様々な商品が出ています。そのくらいたくさんの研究者が、認知症の予防や改善に役立つものを探してサプリメントを作っています。

こうしたものの中でも、FDAに認知症薬として認可申請を予定しているアントロキノノールのサプリメントは、他のサプリメントとは一線を画す特別な存在だといえるでしょう。

あとがき

認知症は薬がなくても克服できるかもしれない

読者のみなさんは「百歳の双子姉妹きんさん・ぎんさん」を覚えておられるでしょうか。「きんは100歳！　ぎんも100歳！」という力強い声。漫才のようなユーモアたっぷりの会話。時に世間の人々の悩み相談にも答え、まさに国民的な人気者でした。

あのふたりが実は認知症だった、というのはご存知でしょうか。

姉のきんさんはテレビに出る前は、1から10までの数字を数えられず、歩くこともできませんでした。ところがカメラを向けられるようになると俄然(がぜん)元気になり、手八丁口八丁の若い頃に戻り、廊下をひとりで歩くようになったそうです。注目されるようになってから筋トレをしていたそうなので、リハビリの効果もあったのでしょう。

ぎんさんは105歳を過ぎるまでボケた様子もなく、明るく元気だったといいます。

おふたりは107歳、108歳で亡くなりましたが、その脳を解剖すると、ふたりともかなり神経細胞が消滅していて、病理学的にはまさに重症の認知症だったことがわかったそうです。

しかし、主治医や家族が証言するのには、認知症といっても、年齢を考えると、これほど若々しく自立した高齢者はいない、あの闊達(かったつ)な話し方や生活ぶりからは、とうてい認知症の病人には見えなかったというのです。

アメリカにはさらにすごい女性がいました。認知症研究においてはよく話題に出されるシスター・メアリーという修道女です。

米ミネソタ大学の予防医学研究グループが1986年から行った大規模なプロジェクトで、対象となったのは678名の修道女たちです。修道女たちは生活が似通っています。同じものを食べて、同じような活動をして、同じように年を取ります。

彼女たちが亡くなった時にひとりひとり脳を解剖したところ、病理学的異常の有無とその方たちの認知機能はほとんど関係ないという結果になったのです。

中でもシスター・メアリーは、101歳で亡くなる直前まで、知能テストで高得点をあげ、運動能力も正常、修道院での生活・日課や他人とのコミュニケーションも問題がなかったそうです。

しかし、彼女の脳は他の人よりも萎縮が進んでおり、重症の認知症そのものだったというのです。

いったい彼女たちの脳と認知機能はどうなっていたのでしょう。なぜ彼女たちは、最後まで生き生きと元気に暮らしていたのでしょう。

きんさん・ぎんさん、シスター・メアリーに共通するのは、積極的な生き方と言えるかもしれません。明るく前向きで、毎日やるべきことがあり、やりたいこともあり、人と関わり、おしゃべりをし、よく食べ、よく笑う。こうしたことが普通にできると、たとえ脳が医学的には認知症であっても、本人は全く正常に生きられるのです。

特にきんさんは、歩けない状態から歩けるようになり、コミュニケーションもしっかりしていました。あきらかに認知機能が回復していたと言えます。

もちろん彼女たちは特別かもしれません。普通の人は、脳の神経細胞がダメになれば、やはり認知機能そのものが衰えてしまうのかもしれません。

けれどもそれは、「何もしなければ」という但し書きがつきます。何もしなければ人間の認知機能は、神経細胞の衰えと共に低下していきます。しかし「何かをすれば」変わるのではないでしょうか。

認知症の研究が進んで、その認識も変わりつつあります。運動や脳トレ、食事、睡眠、趣味などを変えていくと、認知機能は向上していきます。軽度認知障害（ＭＣＩ）であれば、これからは工夫次第で元通りになる。認知症でも認知機能は回復するという時代になっていくように思います。

そしてサプリメントです。食事などの栄養はやはり重要です。頭と体に何を提供するかで、認知機能は変わっていくと思います。脳の神経細胞の汚れを落とし、本来の細胞の再生力を助けるようなサプリメントは、積極的に取り入れていくとよいと思います。本書でご紹介したアントロキノノール含有エキスは、まさにそうしたサプリメントです。

認知症に備え、あるいは認知症から回復するために、きっとアントロキノノール含有エキスは大きな助けになることでしょう。

◉ 監修者プロフィール

生田 哲（いくた・さとし）

1955年北海道函館生まれ。
東京薬科大学卒業。薬学博士。がん、糖尿病、遺伝子研究で有名なシティ・オブ・ホープ研究所、カリフォルニア大学ロサンゼルス校(UCLA)、カリフォルニア大学サンディエゴ校(UCSD)などの博士研究員を経て、イリノイ工科大学助教授(化学科)。遺伝子の構造やドラッグデザインをテーマに研究生活を送る。現在は日本で、生化学、医学、薬学などライフサイエンスを中心とした執筆活動と講演活動、脳と教育、脳と栄養に関する研究とコンサルティング活動を行う。
著書に、「よみがえる脳」（SBサイエンス・アイ新書）「子どもの脳は食べ物で変わる」（PHP)など多数。

著者ホームページ
「脳と栄養の教室」（http://www.brainnutri.com）

◉ 著者プロフィール

犬山康子（いぬやま・やすこ）

フリーライター。評論家事務所、出版社、広告代理店勤務を経て独立。フリーライターとして食、健康、医療、環境問題をテーマに執筆活動を展開。特に血管疾患、アレルギー疾患について独自に研究中。

参考文献
週刊朝日MOOK 『すべてがわかる認知症』 朝日新聞出版
週刊エコノミスト 2017年7月4日特大号『認知症に克つ』 毎日新聞出版
『脳の非凡なる現象』西崎知之 三五館
『家族よ、ボケと闘うな！』長尾和弘・近藤誠 ブックマン社
『知っておきたい認知症の基本』川畑信也 集英社新書
『食べ物を変えれば認知症は防げる』白澤卓二 宝島新書
『認知症 治った！助かった！この方法』安田和人 主婦の友インフォス情報社
『生涯健康脳』瀧靖之 ソレイユ出版

本書を最後までお読みいただきまして
ありがとうございました。

本書の内容についてご質問などございましたら、
小社編集部までお気軽にご連絡ください。

平原社編集部
TEL:03-6825-8487

日々のちょっとした工夫で
認知症はグングンよくなる!

二〇二〇年 十二月 四日　第一刷発行
二〇二二年 六月 二〇日　第三刷発行

監　修　生田 哲
著　者　犬山康子
発行所　株式会社 平原社
東京都新宿区喜久井町三四番地　九曜舎ビル三階
(〒一六二-〇〇四四)
電　話　〇三-六八二五-八四八七
FAX　〇三-五二九六-九一三四
印刷所　ベクトル印刷株式会社

ISBN978-4-938391-70-6